Olivier Sylvestre est né à Laval en 1982. Il est détenteur d'un baccalauréat en criminologie et d'un diplôme d'écriture dramatique de l'École nationale de théâtre du Canada. Auteur et traducteur, sa première pièce, *La beauté du monde*, a gagné le prix Gratien-Gélinas et a été finaliste aux Prix littéraires du Gouverneur général. Il œuvre comme intervenant en dépendance à Montréal depuis 2006. En 2015, il a fondé la compagnie *Le Dôme — créations théâtrales* avec l'auteure Nathalie Boisvert et le metteur en scène Frédéric Sasseville-Painchaud.

NOMS FICTIFS

Du même auteur

La loi de la gravité,
théâtre, Éditions Passage(s), 2017

Agokwe, de Waawaate Fobister
théâtre (traduction), Dramaturges Éditeurs, 2016

La grande échappée,
théâtre, Lansman, 2016

La beauté du monde,
théâtre, Leméac, 2015

Le No-Pain *réveillon*,
théâtre, dans *Madame Renard / Saucisse bacon / Votre crucifixion / Le* No-Pain *réveillon / Ruby pleine de marde / Ce qui dépasse*, Dramaturges Éditeurs, 2013

Olivier Sylvestre

noms fictifs

récits

Direction littéraire : Éric Simard
Révision : Aimée Lévesque
Correction des épreuves : Nicholas Giguère
Photographie de la couverture : Marie-Charlotte Aubin
Conception de la couverture : Kim Dagenais
Mise en pages : Pierre-Louis Cauchon

Si vous désirez être tenu au courant
des publications de HAMAC,
vous pouvez nous écrire par courrier,
par courriel à info@hamac.qc.ca
ou consulter notre catalogue sur Internet :
www.hamac.qc.ca

835, av. Turnbull
Québec (Québec)
G1R 2X4

Dépôt légal :
Bibliothèque et Archives
nationales du Québec, 2017
ISBN papier : 978-2-89448-898-0
ISBN PDF : 978-2-89448-263-6
ISBN EPUB : 978-2-89448-264-3

Diffusion au Canada :
Diffusion Dimedia
539, boul. Lebeau
Montréal (Québec)
H4N 1S2

Ventes en Europe :
Distribution du Nouveau Monde
30, rue Gay-Lussac
75005 Paris

Hamac est une division des éditions du Septentrion.

Nous remercions le Conseil des Arts du Canada et la Société de développement des entreprises culturelles du Québec (SODEC) pour le soutien accordé à notre programme d'édition, ainsi que le gouvernement du Québec pour son Programme de crédit d'impôt pour l'édition de livres.

tous les récits de cet ouvrage ont été
imaginés
maquillés
transformés
à partir d'histoires vraies

toute ressemblance avec des personnes réelles
ne serait que le fruit du hasard

un seul nom n'est pas fictif – le mien

pour

bob
avril
road runner
esmeralda

et tous les autres

à boutte
elle me dit
il me dit
à boutte

pieds qui brûlent
poumons qui brûlent
brûlures qui brûlent

nuits qui
nuits qui
nuits qui
nuits qui finissent jamais

fantôme de sa dignité égarée
pendant le dernier rush
une première fois qu'elle recherche inlassablement
une petite mort perdue à laquelle il se voue

à' journée longue
elle
lui
comme tous les autres
collègues d'infortune
pris dans la machine infernale
du jamais assez et du toujours trop
jusqu'à tomber

ici

répit-toxico
lieu de tous les malheurs entendus et pas entendables
fontaine à souhaits des temps modernes
là où les jours désespérés échouent
peut-être

quelque chose comme la plus grande fatigue
se présente à l'accueil
directement de la rue
de l'autre côté de la vitre pare-balle
qui surplombe le comptoir où je me trouve en ce moment
vitre qui me sépare
qui me séparera toujours

d'elle
de lui

la détresse est une couleur à laquelle on ne
s'habitue jamais complètement
même après dix ans de service

moïse
jeannine
gérard
gina
tobby
bob
esmeralda
road runner
avril
serge
sailor moon
diana ross
johnny

du ben bon monde
malgré tout

aujourd'hui encore

elle a sonné
il a sonné
à la bonne porte
au bout de la rampe
au bout de la sloche
pour que la nuit s'arrête
pour un petit vingt-quatre–quarante-huit heures
enfin

assis-toi sur le banc
ma vieille
mon vieux
veux-tu un jus un café un paquet de biscuits
une oreille

dépose ton fardeau

bienvenue à répit-toxico

visite

fantasio fait partie
de ces garçons que la société a échappés
dans une flaque d'eau
avec rien que la peau pis les os
sans manteau sans chèque
sans personne à aimer
avec presque pas de mots
pas une chanson qui l'adore (surtout pas
« bonne fête »)
vingt-trois–vingt-quatre ans tout juste
pourtant exactement pareil au gars qu'il était
quand il a atterri dans la rue
à douze-treize
petit poussin sauvage
un chat que t'es mieux de pas flatter
un paquet de ramen ramassé dans un coin
une méchante scoliose qui arrange rien
rien que sa pipe à crack comme contact
d'urgence

l'échec patent du système

fantasio n'est pas encore rendu au point qu'un
juge l'enferme contre son gré
y a une procédure pour ça – ça s'appelle la
P-trente-huit
une ordonnance d'évaluation psychiatrique
lorsque quelqu'un présente un danger imminent pour lui-même ou pour autrui

sauf que fantasio
comme beaucoup d'autres
c'est le genre de gars qui tombe dans le trou de
la craque entre toutes les chaises
  pas assez psychotique
  pas assez déficient
  pas assez agressif
  juste assez débrouillard
fait que nous-autres
dans les réseaux publics et communautaires
qu'est-ce qu'on fait
on le regarde aller
on fait notre job pour tenter de réduire ses
méfaits

et on assiste à sa lente dégradation
en essayant de faire taire la petite voix qui nous
dit très fort

rien qu'à voir on voit ben

fantasio donc
pas jasant-jasant je vous jure
fait ici régulièrement naufrage
pour un autre vingt-quatre–quarante-huit heures
de break
entre deux puffs ou deux séjours en prison
ses petits morceaux dans le désordre
certains irrémédiablement perdus
à chaque nouvelle visite

je le réveille de son somme sur le banc à l'accueil
où il s'était effondré

banc fixé dans le plancher avec des vis d'une grosseur qui défie l'entendement pour prévenir qu'ils nous l'expédient par la tête quand on se trouve de leur côté de la vitre pare-balle

la vitre a trois pouces d'épais
elle s'est même épaissie au fil des années

reconstruite toujours plus solide
après avoir été défoncée à coups de pied
par un *usager non collaborant* – comme on les désigne
qui s'est fait barrer – comme on dit
qu'on a interdit de séjour
temporairement – on n'est pas rancuniers longtemps
jusqu'à ce qu'on lui donne une autre chance

je procède à la fouille de fantasio

dans le casier correspondant au numéro du lit
qu'on va lui attribuer
on dépose
ses running shoes (effilochés)
le fantôme de son manteau d'hiver
sa ceinture
et
son absence de monnaie de clés de portefeuille
(fantasio n'a jamais grand-chose dans ses poches)

il saute dans la douche
en ressort vêtu comme il se doit de ses deux jaquettes bleues
et entame son habituel chemin de croix

fantasio s'installe dans la cuisine des usagers
pour manger/renverser
    sa soupe poulet et nouilles
    sa lasagne (congelée/décongelée)
        très très appréciée de tous les consomma-
        teurs en congé temporaire
    ses raisin bran/corn flakes/rice crispies en
    boîtes individuelles
    sa triple couche de margarine-et-fromage-
    jaune-sur-pain-weston-cent-pour-cent-gluten
fait son choix parmi notre sélection de biscuits
    soda
    dad's
    aux figues
    ou arrowroot
s'envoie trois sachets de sucre pour faire passer le
tout – un corps carencé en a grandement besoin
il visite ensuite
    la machine à café (décaf seulement)
    la machine à jus (orange ou pomme mais
    toujours vide)
faisant tout violemment rentrer
la bouffe comme le reste
les yeux plus grands que la panse
comme s'il n'avait pas mangé depuis les fusions
municipales
cause un beau bordel solide et liquide autour de lui

avec l'aide ponctuelle de nos ustensiles biodégradables
    qui ne font pas de très bonnes armes – on s'en est assuré

en sortant de la cuisine
il ne jette même pas un petit œil sur le présentoir à dépliants
qui offre toute l'information désirée sur les
    centres de désintox
    maisons de thérapies
    réinsertions sociales
    suivis externes
    centres de jour
    soupes populaires
    refuges et missions
    organismes communautaires
    ou toute autre ressource connexe

c'est toujours le bordel dans ce présentoir-là
on dirait que je suis le seul à être capable de remettre les dépliants dans la bonne slot quand ils sont mélangés
c'est pourtant pas difficile – mais t' sais olivier
tu t'occupes tellement bien de ton présentoir
on voudrait pas le faire à ta place
me dit toujours ma collègue mélanie pour s'en

déresponsabiliser

en tu cas

fantasio fait ensuite un important arrêt au fumoir
adjacent
    se construit une cigarette sans filtre avec les
    botches des fumeurs précédents
    se brûle un peu les doigts avant de sortir
continue sur sa droite
dépasse le bureau vitré des intervenantes (métier
très majoritairement féminin)
    là où on s'occupe à' journée longue de
        gérer les entrées/sorties de l'accueil
        procéder aux admissions/départs/
        admissions de ce qu'on appelle notre unité
            une aile d'hôpital qui refuse de s'appeler
            par son nom
                avec ses cinq chambres doubles
                    un-deux
                    trois-quatre
                    ainsi de suite
                    jusqu'à neuf-dix
                où filles et garçons dorment séparés
                où les trans ont droit à leur chambre
                pour eux tout seuls

prendre les appels sur notre ligne d'urgence
faire les évaluations de ceux qui se présentent
à l'accueil
faire des discussions cliniques
remplir de la paperasse
donner
   des brosses à dents
   des peignes
   des bas
   des bobettes
   des bouchons pour les oreilles (efficaces
   contre les ronfleurs)
   des serviettes sanitaires
   du papier à rouler
   des seringues (au départ seulement)
faire les lits
changer les poches à linge sale quand elles
débordent et les jeter dans le chariot du
corridor
   on les enverra se faire javelliser par les
   gars de la prison de bordeaux
remplir de la paperasse
aviser les usagers
   de pas se promener nu-pieds
   de venir nous voir s'ils ont besoin d'aide
   dans leurs démarches
   de quitter l'unité avant quinze heures le

jour de leur départ
texter nos chums
procéder à une expulsion en cas d'agressivité
appeler le neuf-un-un nine-one-one

et en plus
pour t'aider au moment exact où t'en as besoin
on est ouverts vingt-quatre heures sur vingt-quatre sept jours sur sept
le soir
la nuit
les fins de semaine
la journée de
noël
l'ascension
la saint-sylvestre
même la journée de ta fête

bref
mélanie pis moi
on est dans le jus

fantasio – on l'a toujours pas perdu – dont le pèlerinage achève
se dépose aux toilettes en faisant sa prière
laisse échapper un tabarnak

et pendant que sa lessive opère
s'effondre dans le lit quatre
  le lit huit
  ou le lit dix
sans demander son reste
  pour mieux repartir deux jours plus tard
  retrouver sa flaque et ses ramen
  sur son coin de rue préféré
  au moins un petit peu plus en forme
comme des dizaines de fois avant
et des dizaines de fois après
parce que fantasio
  connaît les usages de la maison
  connaît toutes les intervenantes par leur nom
  sait quelle porte claque
  à quelle heure on fait les tournées
  à qui quêter une cigarette
  à qui soutirer une faveur
  et n'espère plus de caféine dans son café
  depuis longtemps

il sait aussi qu'on le tient un peu pour acquis
récurrent comme il est

il ne se méfie pas

il devrait

parce que ce jour-là
je l'ai observé
très
très
attentivement
pour l'immortaliser

assis sur ma chaise dans le bureau des intervenantes au rez-de-chaussée de cet édifice du centre-ville – dont on se trouve ici dans la copie fictive – devant l'écran de mon ordi qui me donne accès au système d'information sur la clientèle – le bien-nommé *sic* – je suis l'insigne légataire d'un étrange jeu de cartes dont je porte la responsabilité avec mes collègues et qui un peu comme le tarot peut prédire et même changer le destin des usagères et des usagers qui viennent volontairement passer un vingt-quatre-quarante-huit-heures dans notre unité brève d'intervention de crise pour tous les pharmacoabuseurs et pharmacodépendants – séjour hélas limité pendant lequel
on peut
manger
dormir
se laver

réfléchir à sa situation
panser ses plaies
reprendre courage
faire des démarches pour se trouver une autre place
ou
retourner là d'où on est venu

ces cartes magiques – si on en reçoit une – nous donnent la possibilité d'offrir à une usagère ou à un usager une admission immédiate et inconditionnelle aux unités de désintoxication des étages au-dessus et ainsi court-circuiter les trois semaines-un mois de liste d'attente habituels – on appelle ça *se faire prioriser* – pour aller passer illico un dix-quatorze jours logé-nourri-écouté tous frais payés par l'assurance maladie

ces cartes nous sont octroyées avec une extrême parcimonie et de façon tout à fait arbitraire par la voix modifiée électroniquement de la mystérieuse responsable des admissions en désintoxication que personne n'a jamais vue – son bureau est caché dans un racoin de l'édifice à l'accès codé protégé par un agent de sécurité absolument incorruptible (elle n'a même pas

le droit de venir aux cinq à sept du club social)
– au moyen d'un téléphone rouge installé sous cloche de verre dans notre bureau qui n'a que cette unique fonction et dont le numéro n'est connu que du ministre de la santé lui-même

et si on ne sait jamais quand on va recevoir une de ces fameuses cartes
on sait en revanche que quand le téléphone rouge sonne

faut se garrocher

pour les besoins de la cause
et puisqu'on se trouve dans la fiction dont je suis l'unique maître
et que ça me confère tous les droits
je serai désormais le seul à pouvoir décider lesquels parmi nos personnages fictifs recevront une de ces cartes

simonize

de mon côté de la vitre pare-balle
j'appuie sur la déclenche
  la sonnette retentit cinq longues secondes
  sonnette d'une stridence inouïe
  stridence à faire lever les morts
  pour qu'on soit bien certains de l'entendre
  même à l'autre bout du corridor
la porte extérieure se déverrouille
notre bunker est ouvert
et tom sawyer comme les autres s'écroule sur le
banc

son t-shirt remonte un peu et dévoile sa fourrure
  à force d'être dans la rue on dirait que ça
  s'épaissit comme pour les protéger du froid
pas lavé depuis dieu sait quand notre tom
petit ourson quand même beau

  mais sale

et qui déclare bien à propos
mon royaume pour une douche

bon
on me demande souvent
c'est quoi le pire dans ta job olivier
la violence
l'agressivité
les menaces suicidaires
l'extrême pauvreté
la désaffiliation sociale
le profond sentiment d'impuissance

non

le pire dans ma job
c'est l'odeur

les guerriers comme tom sawyer
lorsqu'ils s'ouvrent enfin
après une si longue réclusion
à macérer seuls dans leur soi-même
dézippant leur manteau
telle une poche de hockey

qui renfermait bien hermétique
toute la levure des journées sans fin
c'est
quelque chose
vraiment

je vous jure

tom comme les autres
trop content
libère ses pieds qui baignaient dans le synthé-
tique
retire ses bas qu'on pourrait tordre
    à force on dirait que ça fait comme un genre de
    vinaigre
laisse exhaler
    ses ongles qui saignent
    ses gales qui fendent
    ses orteils noirs
    son âme souillée
tout ça s'infiltre à travers la vitre pare-balle
ça me prend à la gorge
on dirait que j'y goûte
je réprime une nausée
moi qui pensais pourtant en avoir senti d'autres

    je suis envahi

j'pue hein
qu'il me dit dans un rire édenté
et moi je ris avec lui
pour m'empêcher de pleurer

je rentre illico dans le bureau
m'applique deux pleines rincées de tiger balm
    une en dessous de chaque narine
    ça aide à camoufler l'odeur
    mais pas complètement
et je retourne à l'accueil en respirant par la bouche
pendant que je procède à la fouille de tom sawyer

je mets ce qui reste de ses bottes dans un sac en plastique
elles achèveront de pourrir dans son casier
et j'exauce au plus vite son désir
l'accueil est heureusement muni d'une douche
dans laquelle je l'invite à entrer
défaillant presque – on s'habitue pas hein
en lui tendant le kit habituel
    serviette
    débarbouillette
    deux pantoufles bleues

deux jaquettes à enfiler – une fois douché
une par en avant
une par en arrière
et un autre sac en plastique transparent dans lequel il mettra les lambeaux de ses vêtements qu'on jettera dans les laveuse/sécheuse et qu'il pourra remettre au terme de toute cette procédure anticrasse antibactéries antipunaises s'ils tiennent encore en un seul morceau

mais dans le fond

dans le fond
à coups de chaudières de savon industriel
je l'invite surtout à se départir de
ça
de cette couche d'homme-là
son odeur
sa croûte
en quelque sorte une protection dehors
contre les voleurs les crosseurs
contre les autres odeurs encore plus mauvaises
pour un grand lavage qui me soulage presque
plus que lui

ah pis t'aurais pas des bobettes neuves pour moi

je peux pas tout le temps m'essuyer t' sais
pis j'ai jamais de paire de spare anyway
(feu ses vieilles bobettes)
en plus c'est pas trop trop plaisant de se laisser
pendre le paquet
perdu tout nu au milieu des jaquettes bleues
quand on sort de votre douche
tu comprends-tu ça mon chum

oui oui tom

maintenant qu'il a eu ce qu'il voulait
et que ma job est faite
je recommence à respirer
pendant que tom traverse du côté de l'unité

mais l'histoire ne s'arrête pas là

tu le sais-tu toi c'est quoi qui pue le plus
qu'il me demande l'œil brillant

là je me dis aussitôt
tu penses quand même pas que tu vas
m'apprendre quelque chose
mon tom

ça fait dix ans que je travaille ici
j'ai tout vu

c'est l'affaire qui monte dans' gorge
quand le buzz descend
pis que tu réalises
la frontière que ça fait
comme
entre toi pis le monde propre
les madames parfumées pis coiffées
assises pourtant à côté de toi dans le métro
pendant que tu traînes tes champignons jusque
dans leur sacoche
qui aimeraient mille fois mieux que tu sois pas là
que t'existes pas
que tu sois mort ce matin-là
la vitre
comme ta vitre pare-balle à l'accueil
entre le monde normal pis toi
les regards
le dégoût
la nausée
pis surtout surtout
la certitude que tu pourras plus jamais
plus jamais retourner de l'autre bord de la frontière
comme une condamnation

ça

ça se voit pas
ça sent rien
pourtant je te le dis mon chum
c'est ça qui pue le plus

cristal

cendrillon fait son entrée dans l'accueil
par une soirée interminable de mars
pas vraiment habillée pour l'hiver
ses longs cheveux d'un rouge irréel tombant en
cascade pour préserver sa dignité
sa sacoche qui vomit son contenu sur le banc
mais elle qui tient encore le coup
avec à sa suite ce jeune homme-là
odeur puissante de bière et de vieux parfum
qui ne savait visiblement pas dans quoi il
s'embarquait

cendrillon me demande
  deux seringues d'un demi-cc avec tout le
  nécessaire
  une liasse de condoms (gracieusement offerts
  par la santé publique)
  et un paquet de biscuits dad's
  please

péniblement
ben ben fatiguée
cendrillon

dans sa tête
si elle pouvait encore en juger
elle se dirait peut-être
j'ai connu pire comme client
lui ce jeune homme-là qui l'accompagne
prince un peu charmant quand même
teint basané
t-shirt des maple leafs
jeans peinturés en vert – j'apprends que c'est la saint-patrick
fils à maman exilé de sa province natale
élevé au bon grain
venu étudier à mcgill
pas l'air du gars qu'on dirait qu'il ferait quelque chose comme ça
comme demander un petit service rapide
transaction ordinaire
sans histoire et sans larme
sans trop remarquer
ni le teint livide de sa princesse
ni ses dents de cristal (meth)
tout obnubilé qu'il a d'abord été par ses

beaux cheveux rouges

on le dirait maintenant moins à l'aise de devoir
faire un détour par répit-toxico
avant

suspicieux
je vois le jeune homme qui scrute tout ce qui se
trouve à l'accueil
le téléphone fixé au rebord de la fenêtre avec
une barre de fer
ce qui ne l'empêche pas de se faire pério-
diquement déglinguer
le coffre-fort encastré
où on t'invite à jeter armes et drogues de
ton ancienne vie
les dix casiers
la plaque où sont écrits les mots
aucune violence physique
ou verbale ne sera tolérée
la caméra dans le coin
la vitre pare-balle
moi de l'autre côté

t'as pas l'air à feeler
je dis à cendrillon
en l'appelant par son vrai nom

cendrillon ne reste jamais assez longtemps pour
se rappeler qu'elle m'a déjà vu

ses yeux pognent le fixe sous le néon cruel
cutex élimé
bagues en plastique
les plaques qu'elle a partout

  son corps
  champ de bataille millénaire

mais ni le froid ni la fatigue n'auront raison de
son besoin de consommer
et cendrillon agrippe en chancelant le matériel
d'injection que je lui tends

elle ne me répondra pas
je sais pourtant que ma question l'a ramenée
d'un coup à la fille
  celle qu'y a en dessous des cheveux rouges
  qui habitait dans ce corps-là avant de goûter à
  ça
  cette substance-là
    qui laisse une tache dans tes veines dans ton
    cerveau
    qui ne s'en va plus jamais après

même quand t'en deviens abstinent

cette fille-là
la vraie
je sais qu'elle existe encore quelque part en dessous
même si cendrillon l'a presque oubliée
même si elle n'arrive plus à refaire le fil des événements qui l'ont menée dans cette perpétuelle seconde qui sépare la souffrance de l'angoisse

cendrillon replace ses cheveux qui tanguent vers la droite
dévoilant en partie son crâne traumatisé
et contre toute attente
elle me dit tout bas

mes talons me font souffrir
la vie de princesse c'est crissement épuisant
j'aimerais peut-être ça me reposer un peu finalement

dans mon enthousiasme je demande à cendrillon
ok mais qu'est-ce que tu vas faire avec ta perruque
tu la laves avec toi dans la douche

on la laisse dans ton casier
ou
on la passe dans la lessive en même temps que
ton linge – mais avec le savon industriel je
garantis pas le résultat

ta perruque

cendrillon me fixe d'un regard de mort

puis elle fait un mouvement sec
une princesse ça porte pas de perruque

le coup semble avoir frappé direct au cœur
de la fille qu'y a en dessous de cendrillon
celle dont je parlais tout à l'heure
et je vois sa dignité tomber par terre
au milieu des petites roches
sur le tapis en caoutchouc de l'accueil

elle se retourne juste à temps pour esquiver le
frisson qui s'apprêtait à lui sauter dessus
ses doigts serrent tout contre elle le matériel à
injection
et elle fonce vers sa sacoche en me traitant de

gros plein de marde
criss de cave
estie de moron

l'accueil est encore plus triste maintenant

le prince de mcgill
lui
a levé les pattes depuis longtemps
au cas où vous vous le demandiez

et avant que j'aie le temps de m'excuser
tout simplement
elle
elle reprend ses longs cheveux rouges et son sac à
main
et retourne sans s'enfarger ni rien
dans les ruelles de montréal

roh

journée normale qui commence
sept heures et demie
rapport du shift de nuit
le tableau des civières est complet
unité qui roule à pleine capacité
autoroute des meurtris

comme d'habitude

la tentation est grande de dire
encore lui
encore lui

monsieur spok
(appelle-moi pas monsieur toé
cibouère
je suis pas encore bon pour l'hospice
le monsieur c'était mon vieux père

qui me battait la nuit en rentrant de la taverne
fait que c'est spok pis c'est toute
as-tu compris)

spok-tout-court donc
admis la veille au soir
moins que l'âge de mon propre père – on lui en donnerait pourtant vingt de plus
petites veines explosées sur son nez
barbe envahissante
deux moitiés d'une bouche sans dents
lèvres rentrées par en dedans
peau qui se desquame
deux-trois cheveux jaunes encore attachés

vestiges de lui

dans son dossier sont écrites partout les trois lettres suivantes

r o h

r o h
c'est l'abréviation chimique de l'alcool
tout simplement

à côté de ces trois lettres c'est écrit

cinq à six grosses bières format un point dix-huit
litre à dix point un pour cent

l'équivalent de trente-cinq à quarante-deux consommations
sept jours sur sept
beau temps mauvais temps
pas de vacances pas de jours fériés
depuis trente-cinq ans

on peut donc affirmer en exagérant un peu
que spok aura payé
au terme de sa vie
l'équivalent de trois porsches flambant neuves
à monsieur molson

tant que spok a encore de l'alcool dans le sang
tout se passe bien
mais c'est le lendemain que ça se gâte
toujours

spok se réveille en sursaut
draps sens dessus dessous
jaquettes bleues en corps morts dans la chambre

son amas de vieilles botches éparpillé partout –
son voisin avait parti le ventilateur pendant la nuit
dans la chambre cinq-six

c'est la chambre qui est juste en face du bureau des intervenantes
qu'on réserve pour les cas de grands sevrages
les alcooliques sévères qu'il faut garder à l'œil
pour qu'au moindre signal de complications médicales
on puisse les expédier sur-le-champ à l'hôpital
parce qu'au cas où vous ne le saviez pas
se désintoxiquer de l'alcool
y a rien de pire que ça
c'est pire que l'héroïne
pire qu'une peine d'amour
pire que le pire des deuils de la personne qu'on aimait le plus

de ça
oui
on peut en mourir

spok émerge dans le corridor
flambant
la drôle de bosse qui lui sort du ventre
exhibée

l'odeur de suri qui ne le quitte jamais vraiment
libérée
et la bête qui ne sommeille pas longtemps en lui
se réveille

dans son cas on dépasse vite les premiers
symptômes de sevrage
  fébrilité
  stress
  anxiété
  étourdissements
pour passer tout de suite aux grands maux
  tremblements
  sueurs
  agitation
  vision trouble
  confusion
  chutes de pression
  nausées
  vomissements
  spasmes
  convulsions
  délire
  perte de conscience
  arrêt respiratoire
  coma
  et mort

ses huit heures de liberté
entre le moment de la dernière gorgée
et celui du premier frisson
sont maintenant écoulées

il lui faut boire

hélas on ne peut rien faire d'autre avec monsieur spok
l'attente pour la désintox est interminable
pas de carte magique dans ma poche
pas de place au privé
son cas est trop lourd anyway
tout ce qu'on pourrait lui proposer
si la grâce le pénétrait
s'il entendait la petite larme fatigante au bout des journées vaporeuses lui parler tout bas tout bas
et qu'il souhaitait comme on dit très très fort
prendre sa retraite de la potion pour alcooliques serait de se présenter à l'urgence de l'hôpital saint-luc
mais dans ce cas-là on sait très bien lui et moi
qu'il serait jeté à la rue aussitôt que possible

avec rien pantoute sinon peut-être le mépris du médecin et un comprimé d'ativan[MD] pour calmer ses tremblements – et encore là seulement parce qu'il aurait croupi tellement longtemps dans le racoin de la salle d'attente officieusement réservé aux itinérants qu'il aurait été sur le point d'aller rejoindre son vieux père en haut pour lui rendre la volée qu'il mérite depuis quarante-cinq ans – et au fond de lui-même spok sait très bien qu'y a plus rien à faire avec des vieux de la vieille comme lui sinon de continuer à boire jusqu'au jour de soulagement pour le réseau communautaire et pour le système de la santé où on le retrouvera au milieu de ses sacs en plastique près d'un buisson de l'ancien parc claude-jutra en petit tas écumé reposant dans ses liquides pour une dernière fois

on gardera tout ça sous silence
entente tacite entre lui et moi
pour faire semblant d'y croire
une fois de plus

spok bardasse sous la morsure acide

la prison de chair est dense autour de lui

où c'est qu'y sont mes affaires

il crie un peu
il sue beaucoup

sont dans votre casier monsieur spok
je réponds aussitôt

shit

appelle-moi pas monsieur toé tabarnak

spok se contient tant bien que mal jusqu'à
l'accueil sans même enlever les draps de son lit
ni les jeter dans une des poches à linge sale dans
le corridor – la seule chose qu'on leur demande
avant de partir
un tunnel de rage contre sa vie entière qui le
précède et le suit

lorsqu'il est rendu de l'autre côté de la vitre
pare-balle

on lui redonne ses effets personnels
il s'habille
    veste de jeans
    t-shirt de megadeth
    vieux cordon en guise de ceinture
    tout croche
et l'élastique invisible le ramène déjà
chez le chinois comme il l'appelle
dépanneur qui vend par ailleurs de si belles fleurs
que spok ne prend jamais le temps d'admirer
pour retrouver celle qui l'attend là
à l'étiquette bleue et noir
dans le frigidaire
depuis hier soir

havre

deux autochtones ordinaires
une chouette
un aigle
bonnie and clyde
perdus trop loin de leurs rêves
dénationalisés de force
se décident
par une journée de fucking christ
à partir se démêler une fois pour toutes
en thérapie

on n'y croyait plus
je vous avoue
eux qui venaient tout le temps juste pour
manger
dormir

bonnie elle c'est les aiguilles
clyde lui c'est la boisson

l'un pour l'autre autant refuge que poison
pus capabes
d'elle de lui d'eux ensemble
emprisonnés
à chercher ce qui ne se retrouve plus
mais qu'on espère encore
comme des fous
même pus capabes de reconnaître
    le bras de qui
    la jambe de qui
    la tête de qui
dans leurs cartons leurs sacs de couchage
tout pognés en pain
bonnie and clyde pis leurs millions de
    petits papiers
    factures
    faux ongles
    sachets de ketchup
    morceaux de vitre
    morceaux de peau
pus capabes
mais pas capabes de se déprendre
l'un dans l'autre
ramassés en tas près de l'entrée du métro
depuis la colonisation dirait-on

hé ben bonnie and clyde
sont maintenant

ici

devant moi
avec un objectif

yes sir

les deux totems s'activent tout de suite après leur admission
l'un fouille avec frénésie dans le présentoir à dépliants en face de la cuisine
(ça me dérangera même pas d'avoir à le remettre en ordre après)
l'autre se met sur le téléphone
déployant toute leur exaltation pour se trouver une place
où on ne les regarderait plus comme des débris de la société
mais comme ce qu'ils sont pour vrai

des arbres millénaires aux racines coupées broyées à coups de loi sur les indiens d'alcool de crucifix de réserves de pensionnats de maisons insalubres surpeuplées sans eau ni électricité de langue perdue assimilée de femmes volées violées laissées pour mortes sur les accotements des routes de fond de rangs d'enfants déconcrissés et de génocide culturel

rien ne pourrait semble-t-il remplir le gouffre
trop longtemps rempli
sans succès
par tout ce qui laisse le vide plus grand
après

et une thérapie
yes sir
bonnie and clyde
ils s'en trouvent une – je les ai quand même aidés
faut dire sans vouloir me vanter
une belle
une loin
une faite pour eux
et ils s'y rendent dès le lendemain à vol d'oiseau
à la reconquête de leurs origines

mais l'affaire c'est que

même au plus beau et au plus creux des bois
ou dans la plus traditionnelle des tentes de suda-
tion
à se faire chauffer les plumes
à faire la paix avec
    l'abandon
    l'échec
    la violence
    la disparition
    l'amour
à parler enfin avec leur langue
à manger des plats dont ils n'avaient entendu
parler que dans les légendes
aucune thérapie si bonne soit-elle ne peut
rester en selle
quand la jalousie s'empare du cœur de l'autochtone

on ne saura jamais vraiment ce qui s'est passé

un regard de travers posé sur sa chouette
peut-être
et notre aigle vire dessours
ses yeux perdent le focus
ses poings parlent pour lui – la paix était fragile
et il est chassé du havre aux origines
où la violence est si proche parce que la blessure

est si grande
avec à sa suite une chouette qui essuiera ses
larmes
à coups de mics et de macs

huit jours plus tard
exactement

juste au moment où je me demande
comment ça se passe pour eux coudonc en
thérapie
les voilà qui ressurgissent au bout de la rampe
dans l'œil de la caméra qui les avait vus venir de
loin
deux grands oiseaux à la patte cassée
leurs sacs de couchage
leurs tresses sur le dos
qui sonnent de nouveau à la porte

exile

five one-cc's
you ask me
just the flutes
no water no cups no alcohol pads
no brown bag to put them into
not even after the hi
not even before the thanks
that you don't spit out for me
because a fix is a fix
and you need yours
as soon as possible
to relieve the pain
that's been killing your veins
since six am
and you know that we distribute
the stuff you need
and collect the stuff you don't
in yellow containers
before cactus opens

on sainte-catherine

your name i ask
first name only
nickname if you want
fake name if you must
the procedure is the procedure
i need to write it down
on my record sheet that records the distribution of
  syringes
  stericups
  crack-cocaine pipes
  condoms
  band-aids
  free advice
  puncture site checking
  injection coaching

    even if you're a minor
    even if you're pregnant
    even if you don't care

thanks to the harm-reduction philosophy

dick-from-new-brunswick you answer
without a blink
nodding

all alone dans l'accueil
only your sea of dreadlocks to keep you company
and these flutes you play on
down the stairs of the métro
    the ones that make music
    and the others – the ones that make it stop

suddenly you kinda open the vault

lost in montreal since last new year's eve
no card no cheque no nothing
mother dead father unknown
just an uncle out here who don't give a damn about me
ain't eaten for three full days
but a hell of a style you still got there
i can't help noticing
and this beautiful young girl
jolene is her fake name
always on your mind
love of my life
disappeared without warning in moncton
with my heart in her pocket
there's no way i can ever save enough to go back
and every time you think of her
you swallow the cry

all this you tell me behind the bulletproof glass
in the four-second space-in-time
between the counter and the exit
and then you vanish to your not-so-sweet
journey
still no please no thanks
but a beautiful and sad story
for me

only the harsh beeping sound of the door will
mark your visit

et là je peux pas m'empêcher de penser
no man can choose this path
ça c'est sûr
there is no such thing as choice

exile is a country you are forced into

pommier

rémi son nom (fictif bien sûr)
pas de contact d'urgence
pas de famille
pas personne
se tient la plupart du temps
au coin des rues une telle et une telle
quête aux voitures
un peu de change s'il vous plaît
jusqu'à tant qu'il ait les vingt piasses nécessaires
pour une roche de crack
été comme hiver
beau temps mauvais temps
les doigts qui fendent
les ongles trop longs
les dents qui branlent
les refuges – bof très peu pour lui
à cause des tousseux des renâcleux
pis des punaises

même quand on ose même pas mettre son
chien dehors

et malgré tout
malgré tout ça
rémi se tient droit
dans le milieu du chemin
sous le concert des klaxons
se faisant presque rentrer dedans
au coin des rues une telle et une telle
le temps que dure le feu rouge

c'est comme ça que sa vie se déroule
certains diront c'est pas une vie
c'est la sienne en tout cas
que malgré tous ses vaillants efforts
il n'a pas réussi à changer
après quinze-vingt ans de ce régime

à chacun son fardeau
qu'il m'avait dit une fois
pis le mien y collecte du petit change dans un godet
du mcdo
pis des fins de cigarettes que les bons samaritains
me lèguent des fois
pour s'en débarrasser

ceux-là
de l'argent
ils en ont tant qu'ils en veulent
les passants sont gentils

c'est peut-être justement ça le problème

rémi
la face labourée par la rue la vie la tempête
encore jeune mais plus jeune-jeune mettons
se présente ce jour-là
un beau jour de février
moins vingt-cinq sous le soleil
à répit-toxico
avec un autre genre de fardeau
visible comme le nez dans le visage
qu'il lui faut déposer
enfin déposer quelque part
avant que ça finisse de l'écraser pour de bon
au creux d'une oreille
ou sur la surface lisse du bureau de rencontre
celui qui est adjacent à l'accueil
où on les rencontre pour les évaluer quand on
les connaît déjà

comme rémi
après s'être assuré qu'ils ne sont pas agressifs

une petite tape sur l'épaule et rémi se confie

là-bas
y a un champ
le champ de mon enfance
à saint-didace-de-loyola
ou saint-tancrède-de-fulgence
j'aimerais tellement ça le revoir
une dernière fois
parce que là-bas
là-bas

ma corde est prête

nouée là par ma grande sœur quand j'avais huit ans
à une des branches du pommier où on allait se balancer
le pommier centenaire planté par mon ancêtre
c'est sous ce pommier-là que je veux être enterré
sur la terre familiale
quittée trop jeune sans trop savoir pourquoi
sans trouver mieux
j'ai plus jamais revu le patriarche après
ni plus senti l'odeur des tartes aux bleuets de grand-maman

au bout de cette corde-là
quand je vas avoir fini de shaker
ils auront juste à me décrocher
pis à me déposer doucement dans le champ
je finirai en compost en engrais
comme ça au moins je serai utile à quelque chose
au bout de la route

t'es le seul à part moé qui sait ça olivier
fais-en ce que tu veux
écris-le dans tes notes d'évolution
dans mon dossier
mais s'il te plaît fais-moi pas enfermer
j'ai aucun moyen de me rendre là-bas
pis mon heure est pas encore venue
mais quand ça va t'être le temps par exemple
je te le dis

c'est cette fin-là que je veux

ok
merci de ta confiance rémi

ayant parlé

il se tait jusqu'à la douche
laissant derrière lui un chemin de larmes
puis sombre pour une luxueuse nuit de vingt-
quatre heures dans un de nos lits temporaires

le lendemain

rémi se lève
tout rouge tout enflé
abasourdi

je le vois

je repense à son secret

je me dis que j'ai envie de lui donner quelque
chose en retour – après tout il l'a bien mérité
mais avant même que j'aie le temps de mettre la
main dans ma poche pour voir si j'aurais pas une
de ces fameuses cartes magiques qui donneraient
à rémi plus qu'un petit répit en désintox
lui
il est déjà reparti
exercer son fardeau
coin telle rue et telle rue

la fois que
la fois qu'après quatre-cinq heures de recherches intensives dans les pages jaunes on a finalement retrouvé la mère de robert qui vivait cachée au lac touchette et à qui il n'avait pas parlé depuis quinze ans pour qu'il lui annonce qu'il avait enfin décidé de partir en thérapie après toutes ces années
et qu'elle lui a raccroché la ligne au nez avant qu'il puisse dire quoi que ce soit

désert

éternel adolescent de la mi-trentaine
sultan partage sa vie comme ça
  moitié dans les saunas
  moitié dans les refuges
  moitié dans la rue
depuis qu'il a atterri là
on sait plus quand
dans cet autre genre de village
où il erre la plupart du temps
  dans un rien ouateux
    ramassé en petit tas de sable
      dans la cabine deux-six-six
        du sauna oasis
          à s'user avec tous ceux qui l'usent
            et qui enlèvent chaque fois un
            autre morceau de roche
              à la statue qu'on aurait élevée
              pour lui
                dans le royaume imaginaire
                dont il a été exclu

parce qu'il avait eu le malheur d'aimer les
hommes

c'est toujours le même pattern avec lui

après avoir tenu ce régime pendant dieu sait
combien de jours
sans fenêtre et sans rêve
il émerge de son oasis les yeux dilatés
assoiffé et spastique
sonne à notre porte avec une régularité solaire
pour s'effondrer sur la chaise rotative (néanmoins
vissée au plancher)
devant moi dans le bureau de rencontre
pour son évaluation

normalement
normalement on pose des questions
une interminable litanie de questions
certaines deux fois plutôt qu'une
aussi précises que
– quelles substances consommes-tu
– combien de consommations prends-tu par
jour
– combien de jours consommes-tu par semaine

— depuis quand consommes-tu à ce rythme-là
— à quand remonte ta dernière consommation*
— as-tu des idées suicidaires**
— as-tu un domicile fixe et sinon depuis combien de temps
— fréquentes-tu les ressources d'hébergement
— as-tu des problèmes avec la justice
— as-tu déjà fait des démarches pour essayer de t'en sortir
— as-tu de la famille des amis des fréquentations
— quel est ton contact d'urgence
— as-tu des problèmes de santé physique ou mentale
— prends-tu tes médicaments prescrits selon la posologie
— as-tu des allergies
— mais qui pour l'amour t'a référé ici
— as-tu en ta possession des substances ou tout matériel servant à les consommer***
— comment pouvons-nous t'aider aujourd'hui

---

* terme dont on surconsomme nous-mêmes

** si c'est le cas remplir une grille d'évaluation du risque de passage à l'acte suicidaire avec ses quarante-douze questions supplémentaires

*** si c'est le cas on te demande d'en disposer dans le coffre-fort de l'accueil ou dans le bac à seringues prévu à cet effet

ainsi de suite

et là tous les scénarios sont possibles
du cadavre qui répond en marmonnant
à la logorrhée incandescente de celui qui en a
trop pris

le tout peut durer une couple d'heures (paperasse incluse)

mais pas avec sultan

sultan
que j'évite comme la lèpre
sultan
qui me met tellement mal

la seconde impossible de tes yeux dans les
miens
sultan
pendant que tu prends ta gorgée de jus
d'orange

sultan
avec sa pulsion de mort

dans les racoins désespérés
sa suffisance
impassible
passif
ses mains écaillées
ses vêtements déchirés
qui me mettent au défi
on dirait
qui me disent

vas-y tapette
vas-y toi dans mon oasis
voir
si tu survivrais rien qu'un petit douze heures
plié tassé à genoux à l'envers
brûlé au troisième degré
pour satisfaire comme moi tous ceux qui me vénèrent

je me suis souvent dit
il passera pas l'été
il passera pas l'hiver
mais il toffe
il toffe
enlisé mais vivant
quelque chose fait tenir ses vertèbres
vertical

incompréhensiblement

je l'avoue
je lui donnerais jamais de carte magique même
si j'en avais une dans mes poches

sultan qui
en ce moment même
devant moi
se gratte la dent
se gratte le cul
se gratte la dent
tranquille

sultan je t'haïs un peu même si j'ai pas le droit

avec lui j'expédie l'interrogatoire
de toute façon ses forces sont en train de le lâcher
après le prodigieux effort pour se traîner ici
par lévitation faut croire

pendant quarante-huit heures
sultan voyage
en songe
là-bas au loin dans la tente qui le guérit
de retour dans la lignée de ses ancêtres
bien avant tout ça

dans les vapeurs d'encens qui referment ses plaies
qu'il retrouve seulement ici
au chaud dans son lit de la chambre trois-quatre

sultan se réveille pas tout à fait neuf
mais mieux quand même
quand même mieux qu'à son arrivée
et c'est lui qui me pose soudain une question

tu le sais-tu toi tapette où est-ce qu'elles vont toutes
les images des rêves
le jour venu

je suis pas un chaman moi sultan
que je lui réponds comme pour m'en débarrasser
je suis rien qu'un intervenant

et sultan retourne dans l'oasis artificielle
de son village d'adoption
avec à peine un peu moins de sable entre les dents

after

tu déboules
ce jour-là
sailor moon
le corps en transe
en plein milieu de l'accueil
petite camisole spaghetti
pantalons candy
moult piercings et tatous (en spécial chez ink ta vie)
pupilles vaseuses
suces assorties

  une chance que c'est l'été

dans tes oreilles sailor moon coulent les restants
d'un after qui se prolonge pour toi seule
que t'as traîné ici bien après le départ des danseurs
malgré tes écouteurs perdus quelque part dans la
foule
là-bas où t'as passé les dix-huit dernières heures

dans ce hangar ou ce sous-sol d'église
à danser sans plus savoir tout ce qui rentrait
en dedans de toi

comment tu t'es rendue jusqu'ici
ça personne ne le sait
toujours est-il que t'es apparue
en te tortillant beaucoup
toute grimée de tes vêtements les plus shinés
que tu retires maintenant sans vraiment t'en
rendre compte
cadavres jonchant le banc et les casiers
tes mamelons sertis d'une étoile en glitter
offerts à l'œil de la caméra qui se le rince solide
pendant que de derrière ma vitre pare-balle
mes mots vains tentent de te raccrocher
au lendemain

    sailor moon m'entends-tu

m'entends-tu à travers le brouillard chimique
    des huit comprimés de mdma
    et des quatre fioles de ghb
    de trop
qui te varlopent le foie les intestins la conscience
l'âme au grand complet
qui te brûlent la peau

qui t'ont laissée dans un bain flottant de musique
  électrolink
  primetribal
  chillshit
  mothertempo
  discogenetic
  psyqueer
  johntravoltalounge
  feudelasaintjeanstyle
  shawinigangstarap
  et autres playlists disponibles sur demande
  (en mode blender)
jusqu'à t'enlever tout geste moteur volontaire

tu ne m'entends pas malgré mon cirque
mes sparages mes giboulées pour attirer ton
attention
le carnaval qui t'aspire est si bruyant
je me dis alors qu'il faut bien l'arrêter
que quelqu'un te guide jusqu'au banc (bien
vissé)
que tu te poses un peu
avant de tout perdre – le linge comme le reste
et j'ose
oui
j'ose passer de ton côté
la porte ouvrant sur l'accueil se referme derrière

moi
j'entre dans ton vacuum

c'est là que tu me vois

danse avec moi olivier
on dirait que tu me dis
interrompant ta série de culbutes
avec tes yeux mi-clos
come
come
come into my world
tes mains atterrissent partout sur moi
sur mon corps ordinaire
un corps d'humain que tes mains lisent
qui ne te veut pas de mal
tu le sais tu le sens
sailor moon
et d'un seul coup
la musique me parvient du fond de tes oreilles
je l'entends – je vous jure – elle pulse jusque dans mon cœur
les néons de l'accueil deviennent des stroboscopes
la situation même gênante est belle
tu te loves contre mon torse
tu m'entraînes et on danse ensemble
sur la route des étoiles

veux-tu m'épouser
tu me demandes soudain
veux-tu m'épouser olivier s'il te plaît
personne l'a encore jamais fait
je le voudrais tellement
je te le jure sailor moon
mais hélas
il est déjà quinze heures
je finis mon shift dans trente minutes –
on n'aura pas le temps

je vois toute la déception du monde dans tes yeux
quand d'un coup la sonnette stridente retentit
l'accueil est envahi par les pompiers
appelés sans doute en désespoir de cause
c'est pas moi sailor moon
c'est pas moi qui les ai appelés
mais c'est peut-être mieux comme ça
après tout les étoiles sont trop loin
et toute bonne chose a une fin

des fois
on n'a juste pas le choix de faire le neuf-un-un
nine-one-one
quand on voit que la personne qu'on a devant

nous est prise dans un univers parallèle
dont elle ne sortira pas rien qu'avec des mots

puis tout se passe en une seconde

les yeux des premiers répondants qui se régalent
d'avoir à te maîtriser
sailor moon
ton corps exposé
leurs mains – trop contentes – sur toi
la civière sur laquelle on t'attache
sans ménagement
l'histoire qu'ils ne raconteront pas à leur blonde
une fois de retour
qui à varennes
qui à lachenaie
moi qui dois bien admettre que tes gestes sont
violents
moi qui imagine l'antidote qu'on va t'injecter une
fois arrivée à saint-luc
toi qui vois cet after infini prendre fin
pour de bon
comme on ferme la lumière
en t'enlevant tout souvenir de l'événement
notre danse imaginaire
ta demande en mariage

moi qui ai voulu t'aider à mon corps défendant

à la fin de la journée
je me demande quand même
si c'est pas quelque chose comme le sublime
qu'on a tué

limbes

la mère de tobby a besoin de seringues propres
la mère de tobby marche vers notre rue transversale
la mère de tobby marche vers notre rue
la mère de tobby sonne à la porte
la sonnette stridente retentit comme elle le fait
chaque jour depuis des temps immémoriaux
et moi je me dis intérieurement en la voyant

criss
c'est pas une place pour un bébé

on peut dire que
la mère de tobby aime son gars dans la mesure de
ses capacités
avec un agenda bien trop rempli de démarches de
toutes sortes
maille à partir avec l'aide sociale

recherche incessante d'un abri
arpentage des rues d'en bas de la côte
maintien quotidien de son taux d'opiacés
sans manger ni dormir vraiment
tout empêtrée dans sa propre survie
pendant que le petit tobby
bien enfoui dans ses jupes
trop gêné pour se montrer la bette
serre les dents et plisse les yeux
contre vents et marées

la voici qui se laisse tomber de tout son poids
écrasée sous tobby qui ne la laisse jamais souffler
et moi
tout en lui donnant ce qu'elle demande
je ne peux pas m'empêcher de la questionner sur
ses intentions en général
et sur l'avenir du petit en particulier

parce qu'il est tard oui mais peut-être pas trop tard
on peut encore le faire jusqu'à dix-neuf-vingt semaines
paraît que des médecins aux états-unis les acceptent jusqu'à la veille de l'accouchement

faudrait que je me dépêche à le faire je le sais

je suis pas conne
elle me répond
irritée
tobby est bien là
ouin ok
mais elle aimerait mieux l'oublier
conséquence d'une relation avec un père inconnu
qui n'aura duré que quarante-cinq secondes

avec elle je ne me pose même pas la question
elle a droit à sa carte magique sur-le-champ
je l'ai dans ma poche toute prête pour elle
séjour prioritaire en désintoxication
c'est le petit tobby qui lui en donne le privilège
elle a juste à lever le doigt et dire ok

l'affaire c'est que
la mère de tobby est ben dure à aider

et lui maintenant
entité abstraite au désir immense
qui veut furieusement vivre en dehors d'elle
fait déjà sentir ses poings en dessous des côtes
trop petit pour le deuxième trimestre – aucune
sonde n'a encore pu en attester
résistant de la première heure
malgré les cadeaux trop nombreux qu'il a déjà reçus

la mère de tobby se rebiffe et piaffe
l'agacement la gagne
l'envie de la dose augmente
et des limbes rassurantes
où tobby disparaît quoique brièvement
elle se dit qu'à force d'en faire comme une perdue
il va bien finir par se décrocher de lui-même
et retourner là d'où il est venu
au royaume des crevettes ou
dans les rêves d'une petite fille qui voulait être
mère et d'une mère ambivalente qui me dit
tu peux ben aller te faire foutre avec tes questions

elle se lève brusquement avec un geste de la main
et pour calmer sa mâchoire qui bruxe et les frissons insupportables
demande à nouveau un paquet de seringues et
tout son attirail

petites coupes en aluminium avec filtres en coton
fioles d'eau stérile
tampons d'alcool
livrés direct de derrière la vitre pare-balle dans
un sac en papier brun

parce que c'est mon heure
c'est mon destin pis c'est comme ça

c'était rien que pour ça que j'étais venue
pis tu suite à part de d' ça

ok

après

la mère de tobby reprend son agenda
se trouve une place
se trouve un gars
se trouve une autre place
rare berlingot de lait
pointe de pizza aléatoire
subit le regard des passants
temps qui passe sans qu'elle s'en aperçoive

se réveille dans une chambre

douleur incommensurable
le travail est commencé
ambulance
saint-luc
les néons défilent au-dessus de la civière
le jugement dans les yeux de l'infirmière

trou noir
trou noir
trou noir

prise de sang

taux d'équivalence de morphine dans le corps de
tobby
tobby qui hurle comme une chauve-souris
jus de méthadone pour calmer ses douleurs
après quelques heures à peine des agents s'en
emparent
plus jamais tobby ne reverra sa mère

bungalow à ahuntsic

crises
crises
crises
nuits d'anxiété
terreurs nocturnes
tobby fâché noir
nouvelle maman qui sombre

tobby a maintenant deux pères

fait le bacon sur le plancher de la cuisine
et pas rien qu'au petit déjeuner
crie toujours pour quelque chose mais on sait
jamais quoi
un père à boutte
deux pères à boutte

tobby à saint-henri

tobby à anjou

tobby au centre d'accueil

caca sur le mur
morsure dans le bras de l'éducatrice
tdah
trouble oppositionnel
ton code de vie fourre-toi-lé dans le cul
réflexion à la chambre
changement d'unité
aucun mot assez long pour dire sa colère
tobby dix ans
première cigarette
premier joint

premier site porno
première agression dans son sommeil
tobby treize ans
tobby donne une pomme à l'éducatrice
la pomme est enduite de son sperme séché
rires des garçons dans leur moustache molle
tobby sait pas lire
poing lancé qui défonce jamais le mur
le soir tobby implore les étoiles en maudissant
dieu le père
tobby découvre la menuiserie
agresse le prof avec une scie

détention à cité-des-prairies

courtisé par les bloods et les crips
reçoit la mission de faire sauter le bbq pendant
l'épluchette de blé d'inde
se fait prendre les mains sur la bonbonne
mis dehors à dix-huit ans et un jour
arpentage des rues d'en bas de la côte
menus larcins
combines
magouilles
alcool

speed
dilaudid

héroïne

quelque chose en tobby reconnaît ça
héroïne
héroïne
héroïne qui s'enfuit toujours là-bas au loin
tobby a besoin de seringues propres
tobby marche vers notre rue transversale
tobby marche vers notre rue
tobby sonne à la porte

la sonnette stridente retentit comme elle le fait
chaque jour depuis dix-huit ans

salut tobby

parasite

y a cette mère-là
comme beaucoup d'autres mères
dont l'appel à l'aide entre par notre ligne d'urgence
  disponible tout comme nous vingt-quatre
  heures sur vingt-quatre
    la nuit de l'action de grâce
    le soir de la saint-jean
    le jour du jugement dernier
    même la nuit où ta blonde va accoucher

    on n'est pas sorteux

denise – c'est son nom fictif
les traits tirés à travers le combiné
a grand besoin de nous parler de boris
son vieux fils
qui décolle pas de chez elle
à boire de la petite bière
en caisses de vingt-quatre

sept jours sur sept
beau temps mauvais temps
pas de vacances pas de jours fériés
sur le divan du salon
subventionné au fonctionnement par la pension
de sa mère
trouvant quand même le moyen de chialer
sans rien faire d'autre
depuis vingt-cinq ans

écoute et soutien apportés
à une denise ben ben fatiguée
d'entretenir son fils dans son marasme
d'empiler ses bouteilles vides
de se faire même un peu brasser quand le stock
de bière est en souffrance
elle qui pèse tout juste cent livres mouillée
prise dans la boue de ce mariage forcé
incrusté encroûté moisi
le disque coincé sur l'éternel trente-troisième
tour
répétition infinie des mêmes paroles qui blessent
des mêmes riens sur lesquels on s'accroche tout
le temps
de la même télécommande qu'on trouve jamais
dans la craque du divan
du même amour-haine qui nous paralyse

et qu'il est peut-être trop tard pour changer
denise qui de surcroît aurait déjà dû commencer
des traitements de chimiothérapie
pour un cancer de la vessie

je sais pas qu'est-cé que j'ai fait au bon dieu
pour qu'y me punisse comme ça
me semble que je l'ai pas élevé de même
me confie-t-elle entre deux spasmes
cachée dans la garde-robe avec le téléphone sans fil
à propos de son tyran de fils
que j'entends beugler derrière
y est attachant vous savez – par p'tits bouttes
aussitôt noyés dans une de ses gorgées
qu'il ne goûte même plus

depuis peu
denise a commencé à avoir de la difficulté à
marcher
dans sa propre maison
entre les caisses de bière qui montent
jusqu'au plafond
bientôt il lui faudra se défaire des meubles
du lit de la table du vaisselier
se défaire des boîtes à souliers remplies de lettres

d'amour de son jeune temps
des bijoux de sa grand-mère
de la coutellerie
pour faire de la place pour plus de bouteilles
ensuite
inévitablement
se défaire d'elle-même
parce qu'elle sera de trop
le demi-pied carré d'espace qu'elle occupe devra
céder sa place
à une autre colonne de caisses
et quand le jour sera venu
on devra défoncer les murs
à coups de marteau-piqueur
pour faire sortir son fils-éponge
enseveli sous le verre
on découvrira qu'il n'a pas mangé solide depuis
un mois
les voisins auront appelé
parce que l'odeur se sera infiltrée jusque chez eux

denise ne peut pas se résoudre à vivre
impuissante
l'échec
le vrai

celui d'avoir bel et bien raté son fils

les larmes coulent jusque dans le bureau de
répit-toxico
je dis à denise de tenir bon
surtout tiens bon ma denise
tiens encore juste un peu
pendant qu'on prépare ton plan de sortie
avant qu'il ne soit trop tard

denise avec sa petite valise
s'extirpe de la garde-robe
comme on entre en scène en sortant de la loge
ses grandes lunettes fumées sur les yeux
comme une actrice
son foulard acheté à paris en mille neuf cent
soixante-dix
sa vieille boîte de souvenirs
et sans jamais lâcher le téléphone
met son plan à exécution

elle contourne les tours de pise qui menacent de
s'effondrer
fait ses adieux à son grand boris
qui pour toute réponse lui lance une moue
se demande pourquoi elle se déguise tant pour
aller au dépanneur

certain que sa mère reviendra bientôt
avec une autre caisse de vingt-quatre
sinon quoi – il ne peut quand même pas attendre
de pourrir là
en flaque sur toute la longueur du divan
jusqu'à ce qu'on vienne le chercher
hein

dans le téléphone
j'entends denise refermer la porte derrière elle
pour de bon
la tête haute
sans un regard derrière
en route vers son premier traitement de chimiothérapie

famille

faites quelque chose avec
parce que nous-autres
câlisse
on est pus capabes

c'est le mal en personne

le p'tit tabarnak
depuis toujours
jamais content
pète des crises
boit mes parfums
casse mes bibelots
bat les p'tits voisins au sang
combien de fois
combien de fois
qu'on l'a prévenu
fais pas ça
fais pas ça

y l'a fait pareil
y a même mis le feu une fois avec la friteuse
ce p'tit criss-là y a toute
toute ce qu'y veut
y a lâché l'école en secondaire deux
depuis ce temps-là
y consomme tout ce qu'y trouve
pis nous-autres
on le nourrit
on lui paye ses cigarettes
on le torche
pis lui
qu'est-cé qu'y fait
qu'est-cé qu'y fait hein
y nous vole y nous ment
nous crie après tout le temps
faites de quoi avec
simonac
(scusez je parle mal)
obligez-lé
attachez-lé si y faut
vous devez ben avoir des trucs
avec le monde comme lui
parce que c'est pas mêlant
son père pis moé
on l'endure pus

pendant que sa mère se déverse comme ça
dans l'accueil

pierrot lui
l'œil brillant
sourire en coin
reste assis sur le banc
bras fermement croisés
spectateur de sa propre famille
on dirait presque
content de son œuvre

écoute pas ce qu'elle raconte la conne
depuis que je suis né qu'y me font chier
y ont jamais rien fait pour moi
le fuck you de la famille
c'est comme ça qu'y me traitent
pourtant c'est moi le plus wise
y peuvent pas accepter ça
j'ai jamais demandé à venir au monde moi
j'ai ben le droit d'être su'l'bs toute ma vie
pis de rien câlisser
exactement comme eux
c'est mon droit
ça fait que
payez

toute la gang
payez pour moi

pis en passant
le grand
j'ai aucune envie de rester icitte
moi

la mère de pierrot roule des yeux
découragée

on peut pas garder les gens contre leur gré
madame
je suis désolé
va falloir qu'il nous démontre un semblant de
début de quelque chose comme

une motivation

pour le forcer à une hospitalisation faudrait
qu'il présente un danger imminent pour lui-
même ou pour autrui
mais là encore madame
même avec les délirants les suicidaires les agressifs
ça marche pas tout le temps
y a le consentement au traitement
les droits de la personne

tout ça

malheureusement
on peut rien faire

ben je vais le tuer d'abord
ciboire
si c'est ça que ça prend
me crie la mère de pierrot
dont la bruine traverse la fente de la vitre pare-
balle
pour pleuvoir sur mon visage
je vais le tuer
câlisse
avec le batte de baseball
dans sa chambre en bordel
avec pour motif un vase qui déborde en sacrament
ça rentre-tu dans vos criss de critères ça
monsieur olivier

là
vous vous demandez sûrement comment ça finit
cette histoire-là
hé bien
comme beaucoup d'histoires vécues à répit-toxico

ça finit pas

ça continue

les parents de pierrot s'avouent vaincus
ils ne mettent pas leurs menaces à exécution
après tout c'est leur fils
même si on l'haït en ostie des grandes fois

ils laissent encore tomber quelques sacres bien sentis
parce que ça aide toujours à se donner du courage

et ramènent pierrot chez eux

la fois que

la fois qu'ulysse s'est sauvé de l'hôpital où on devait l'opérer pour un pneumothorax
pour aller puffer du crack
et qu'il est revenu le lendemain pour son opération

paranoïa 1

avec ses yeux humides et flous
puck entre et demande sa liasse habituelle
une liasse verte rose jaune rouge
lubrifiés ajustés grand format
à saveur de banane de fraise de vanille
(gracieusement offerts par la santé publique)
pour s'amuser dit-il avec ses amis

le monde est tout à l'envers
il m'annonce
le compte à rebours est commencé
tu savais-tu ça toi
vaudrait mieux te trouver une planque
avant qu'y soit trop tard
le centre-ville va exploser
la rue va s'enflammer
ceux qui m'ont fait chier vont le payer cher
les vendeurs les cochons avec
en millions de parcelles

vertes roses jaunes rouges
les lampadaires du quartier des spectacles vont
s'éteindre
finis le gros fun noir
les enquêtes du gouvernement
les psychiatres les hôpitaux
ben vite l'air sera pus respirable
on pourra pus vivre ici-bas
l'été le plus chaud depuis deux cents ans
les océans sont morts
les tournades les ouragans
l'état islamique
la corée du nord
donald trump
les paradis fiscaux
les ours polaires
les analphabètes
tu la sens pas venir comme moi
la fin du monde

fait que

fie-toé su' moi
vaut mieux voler au-dessus de tout ça
vaut mieux fourrer avant que ça pète
clame-t-il convaincu/convaincant
des petits ponts d'écume s'étirant entre ses lèvres

avant que j'aie rien pu dire
ses amis l'appellent
ses amis ou ses clients
que puck ira bientôt rejoindre
eux ou personne d'ailleurs (existent-ils vraiment)
et il se remet à marmonner
mais pour qui

quoi
il me demande soudain
comme s'il pouvait lire dans mes soupçons
(on dirait vraiment qu'il le peut)
tu parles jamais tout seul toi
dans ta tête c'est comme dans ma tête
les pensées ça défile
les miennes les tiennes même combat
je suis sûr que t'es capable de dire exactement ce
que je dis
avec les mêmes mots
même de l'écrire
c'est juste que moi je le fais tout haut
au fond de toi-même tu le sais
comme moi
que le monde prend le clos en sacrament
pourquoi ça ferait de moi un fou
pis pas toi

dit-il encore
sa liasse de condoms dans ses mains
comme un trésor
lui qui dans un autre espace-temps
aurait été un prophète

à part de d' ça toi ça va
on parle pas de moi ici je réponds
de peur qu'il me perce
avec ses yeux qui voient dans le fond des crânes

c'est pas que c'est plate mais faut que j'y aille
et entre deux clignements
il a déjà disparu vers la rue en sursis
laissant derrière lui
un doute

râteau

road runner débarque
matin hâtif
le deux ou le trois du mois
comme d'habitude
les poches vides
les poumons noirs
les ongles sanguinolents
la dignité dans le respirateur
tout ça grâce à/à cause de

son chèque d'aide sociale

aussitôt retiré aussitôt flambé
en fumée blanche et grise
sous le halo du lampadaire
avec son tube transparent
pour un petit buzz fuyant
compulsivement répété
à émilie-gamelin ou à papineau

jusqu'à épuisement des stocks

prenons un instant pour en parler
du fameux chèque d'aide sociale
qui aide tout autant qu'il nuit

on peut pas vivre avec
on peut pas vivre sans

six cents dollars et quelques par mois pour les célibataires dits aptes au travail
soit à peu près quatre-vingts pour cent des personnes qui se présentent à répit-toxico

imaginez une seconde

un
seul
chèque
en début de mois
pis débrouille-toi avec
mon homme

la plupart de mes collègues peinent à gérer leur paie qui rentre aux deux semaines et qui est plus du double du montant

avec la hausse constante des loyers à montréal
à moins d'habiter dans une coop (faut être plogué)
ou un hlm (t'es mieux d'être patient)
tu risques chaque mois de perdre ton logement
de te ramasser en compagnie de tes semblables
dans une maison de chambres
dans un refuge
ou à la rue

fait que
les prestataires font des miracles
pour étirer leurs cennes
après avoir payé
  le loyer
  l'hydro
  le téléphone
  les cigarettes (les indiennes sont moins chères)
  la litière à chat
  le petit cadeau pour linda (c'était sa fête)
  l'épicerie (vaut mieux pas aller chez rachelle-béry)
et plus les années passent
plus la fin du mois dans les poches et dans les sacoches

arrive bien avant la fin du mois sur le calendrier

pour la plupart de ceux qui nous intéressent ici
le chèque atterrit dans le compte en banque
dépôt direct à minuit pile
et par les grosses nuits du trente et un au premier
vers deux heures et quart mettons
y en reste plus assez
ni pour un trio poutine
ni pour un billet d'autobus
ni même pour une pointe de pizza à quatre-vingt-dix-neuf cennes

et pour deux-trois jours encore
les tavernes sont bondées
les vendeurs fournissent pas
les hôtels font des passes
les crackhouses débordent
les petites femmes sont gâtées
les messieurs sont puissants

ce sont jours de tous les rois éphémères

et peut-on leur en vouloir
d'avoir un petit peu de plaisir
rien qu'un tout petit peu

volé sur le quotidien maudit
qui vaut pour tout le reste du mois
dans ce système qui perpétue la misère

je me dis souvent qu'être à leur place
moi avec
je consommerais

road runner disions-nous
dans la survivance des rues ivres des rues traquées des rues de crevasses dans les plis de coudes pis d'yeux virés à l'envers à moins câlisse en petite veste hors saison est en quelque sorte la copie conforme de tous ceux comme lui qui tentent de combattre leurs démons à travers un dédale psychotropico-économique qui leur sera toujours défavorable et qui une fois ses dents refermées sur eux ne les laisse plus
jamais
reposer en paix

et hop dans la douche mon beau
y a pas de meilleur remède
que de se laisser dessouiller
les deux pieds de chaque côté du renvoi d'eau

et hip à la lasagne (congelée/décongelée)
et hip hop sous les draps javellisés pour une
nuit de vingt-quatre heures qui rattrape certes le
sommeil
mais qui ne fait pas fuir les mauvais rêves

puffer j'aime même pus ça
(là c'est road runner qui parle
le lendemain
avec une puissante migraine)
ça me buzze deux minutes
ça me rend fou

mais c'est plus fort que moi

quand j'ai de l'argent dins mains
je peux pas faire autrement que d'y aller
pis quand le chèque est mort
que je peux pas croire que j'ai pas pu faire mieux
qu'à chaque mois c'est la répétition du même cirque
que je suis aussi ben mieux de continuer à puffer
pour pas vivre ce qu'y a après
la descente
le grand trou
la déception fondamentale
l'envie de crever là là maintenant sur place par

combustion spontanée

ben
je fais des crosses
je fais des passes
je fais des vieux
j'arpente les ruelles
je tourne en rond
je gratte au fond des craques de trottoir
t'à coup que les roches qui sont là seraient des roches qu'on peut fumer
je mens à tout le monde pis à ceux que j'aime
je maudis tou' és fantômes
je deviens une autre personne
jusqu'à ce que le dernier dealer du dernier parc soit parti
jusqu'à ce que j'aie fait les poches du dernier des quêteux endormis
jusqu'à ce qu'y reste plus rien à rien
jusqu'à la fin des heures pis du monde
jusqu'à tomber en bas du haut d'une falaise au plus profond du creux du puits du sous-sol de ma vie qui a pris le clos je me rappelle plus ni quand ni où ni comment pis que je puisse plus dire la gauche de la droite l'envers de l'endroit le yin du yang le jour de la nuit la date de fête de ma fille qui sait même plus qu'elle a un père

ni même son prénom

pis au bout de tout ça y me reste ma tête
comme un râteau
qui ramasse ses feuilles mortes
éparpillées
jusqu'au prochain chèque

la fois que
la fois que mon instinct m'a dit de sortir immédiatement de l'accueil pour retourner de mon côté de la vitre pare-balle cinq secondes avant que bad-ass thibodault perde complètement la maîtrise de lui-même et se mette à saccager tout ce qui était à sa portée – le téléphone la poubelle le bac à seringues le souvenir de ma figure – dans l'accueil

liberté

avant son admission la veille au soir
hannibal avait accepté de jeter
dans le coffre-fort de l'accueil
un poing américain – objet dont la possession est
illégale
en tout lieu
et en tout temps

ce qui suit en est la conséquence

croisé au petit matin dans le corridor
un tank que je vois de loin en dessous des gros
néons
hannibal les poings fermés
pas encore sorti de la jungle on dirait
les cendres prêtes à se rallumer
ne semble pas trop savoir ce qu'il était venu faire ici

et n'a désormais qu'une seule priorité
puisqu'en réponse à mon bonjour
me fait pour toute déclaration

mon poing
j'en ai besoin pour me défendre dehors
je le sais que vous l'avez
pis je veux le ravoir
ok
mon poing
t'as d'affaire à me le redonner
le grand
t'as d'affaire
parce que sinon
mon poing
ça va aller mal en sacrament
ok
le grand

je te crois sur parole hannibal

je vais voir ce que je peux faire je lui réponds
cependant c'est évident que les effets jetés au coffre-fort le sont irrémédiablement et sans possibilité de retour à leur ancien propriétaire – surtout les armes

mon aiguille interne s'active
comme toujours dans ce temps-là
l'alerte est déclenchée
le sang s'agite dans mon corps
ma tension artérielle grimpe
chacune de mes vertèbres s'aligne
ma bouche devient sèche
mes mains moites
mon champ de vision se rétrécit
comme dans un tunnel
je sacre en silence
j'ai juste envie de m'enfuir en courant
et je me liquéfie
en faisant tout pour que ça paraisse pas

parce que la peur est un très bon excitant pour l'agresseur

avec les années on finit pas mal toujours par le sentir quand ça va mal finir

hannibal est prêt à affronter un tigre – non merci

sauf qu'il faut agir

là là maintenant
pour nous sortir de ce moment d'angoisse qu'il
nous fait passer
nous tous
les employées
la coordo
les autres usagers venus échouer tranquilles – à
travers la caméra on voit serge et johnny fuir vers
leurs appartements semi-privés
la cuisine les bureaux les planchers les murs
tout ce qui est fragile et qui se trouve à sa portée
avec le climat de terreur qui s'est répandu comme
une traînée de poudre
lui qui n'a visiblement plus rien à perdre
contrairement à nous
honnêtes citoyens qu'on est
que je suis
qui avons tant et tant
nous
à perdre

j'entre dans le bureau
pendant que l'anxiété monte
de part et d'autre de la porte

hannibal fait de la wing dans le corridor
le pas pesant

il cogne à la porte – on répond pas
mes deux collègues et l'agente administrative
barricadées
morceaux de viande dans leur barquette de
vêtements
déshabillées du regard par l'œil plein de salive
d'hannibal
et moi qui réalise que je suis officiellement
devenu
son rival

neuf-un-un nine-one-one

besoin de l'assistance des policiers
immédiatement
parce qu'on peut affirmer sans se tromper
que paulo l'agent de sécurité
plutôt un gardien d'établissement
le nez dans son *journal de montréal*
à l'autre bout de l'immeuble
ne sera pas à la hauteur de la situation
pour escorter vers la sortie
un hannibal qui a pas pantoute envie de repartir
bredouille

homme de race blanche

cent soixante-quinze centimètres
cent quatre-vingts livres
en jaquette bleue
traces d'acné
barbichette négligée
quelques fantômes de dents
le contraire absolu de l'enfant de chœur
pas si gros mais qui en a d'dans

ah pis je vous avertis
il sera pas très collaborant

faut quand même le voir
hannibal
machiner dans sa tête comment il pourrait affronter
à lui tout seul et sans son arme de prédilection
l'armada du poste de quartier au grand complet
les douze pompiers du calendrier deux mille
quatorze
et les deux ambulanciers
qui envahissent le corridor dans les minutes qui
suivent

hannibal est forcé de s'avouer vaincu

les agents de la paix ne nous feront même pas
la morale cette fois-ci

je dis bien cette fois-ci
parce qu'à plusieurs reprises par le passé on avait fait appel aux services policiers pour éviter qu'un usager agressif en nos murs ne se blesse ou blesse autrui dans l'élan de sa rage et qu'on s'était fait passer un savon sur notre utilisation frivole du neuf-un-un nine-one-one – franchement monsieur on monopolise pas les services d'urgence juste pour s'occuper d'un pauvre toxicomane ultimement responsable de son sort – aviez-vous pensé qu'un honnête citoyen payeur de taxes victime en ce moment même d'une crise cardiaque pourrait être en train de mourir parce que les premiers répondants étaient occupés à venir ici

avec les années
les préjugés de la police envers les toxicomanes
ont beaucoup diminué

on nous apprendra ce que hannibal nous avait
caché

à savoir que monsieur n'aurait jamais dû se
trouver ici
le juge le lui avait ordonné

interdiction de séjourner
sur l'île de montréal
en raison de nombreux antécédents d'agression sexuelle

tout à coup je me demande
est-ce à dire que hannibal pouvait violer toutes
les filles qu'il voulait dans le quatre-cinq-zéro

tout est mal qui finit bien
mais pas pour hannibal
dont je revois encore le regard
ses yeux de lion capturé
finalement tout petit
et son hurlement à fendre le cœur
une fois recueilli dans les bras des policiers

et là
je prends tellement conscience
effrontément peut-être
du goût de l'air dans mes poumons

ça me donne envie d'aller faire une grande promenade au parc
de jouer avec les écureuils
de rire trop fort
d'aller prendre une bière
de draguer un beau garçon
et d'être juste simplement
tellement

libre

oublie pas de remplir un rapport d'événement
me dit soudain la coordo
pour me sortir de mes rêveries

combien de fois
je t'ai entendu dire

qu'il faut que ça change
que ça peut plus durer
sinon tu vas crever
qu'il faut que tu la trouves
là là maintenant tu suite
    la thérapie
sans frais sans douleur
qui changera ta vie
qui te rendra lavé sobre solide
jusqu'à la fin de tes jours

pour mieux te retrouver
le deux ou le trois du mois suivant
à la fin d'une nouvelle dérape
où tu me diras
que tu t'es planté

que c'est pas de ta faute
t'as pas pu faire autrement
mais qu'il faut que ça change
que ça peut plus durer
sinon tu vas crever
qu'il faut que tu la trouves
là là maintenant tu suite
　la thérapie
ni trop longue ni trop dure
qui changera ta vie
et te rendra paisible guéri lustré
jusqu'à la fin de tes jours

pour mieux te retrouver
le quatre ou le cinq du mois suivant
au sortir d'un nouvel enfer
parce que juste avant de monter dans l'autobus
tu t'étais accroché les pieds au terminus
que t'avais succombé au chant des sirènes
et que tu t'es jamais rendu là-bas
　à la thérapie qu'on t'avait trouvée
　toi et moi
　à la sueur de notre front
　la dernière fois
m'implorant de te donner une autre chance
parce qu'il faut que ça arrête
que ça arrête enfin

que tu la trouves
là là maintenant pas dans cinq minutes
  la fameuse thérapie
qui changera ta vie
et te débarrassera de cette cochonnerie-là
pour de bon

pour mieux te retrouver
le six ou le sept du mois suivant
à la fin d'un nouveau cycle de
  taverne
  motel
  crackhouse
  ruelle
  métro
  parc
  dépanneur
  guichet automatique
  poste de police
  hôpital
  répit-toxico
après t'être enfui pour aller consommer
  de cette si belle thérapie
  que tu t'étais trouvée tout seul comme un grand
  la dernière fois

sans doute parce que la bataille contre toi-même/pour toi-même
t'étais pas encore prêt à la livrer

là tu me diras que ça suffit
que t'as compris
que t'es prêt
que tu veux y retourner
    en thérapie
sur-le-champ

et que cette fois-ci
cette fois-ci
oui
ça va être la bonne

thérapie

joseph avait été admis le mois dernier dans une
de ces maisons
tous frais payés par l'aide sociale
avec des rêves de renaissance
d'acceptation profonde
de matins qui chantent
surtout avec l'espoir fou
de trouver enfin une issue
à cette vie-là

mais une fois là-bas

il y a d'abord gina
qui après avoir tenté de le séduire (dit-il)
le dénonce pour harcèlement devant tout le
groupe

s'enclenche alors une série d'événements dignes

du *procès* de kafka
avis verbal un
avis verbal deux
travaux de réflexion
tâches ménagères supplémentaires
avis formel

joseph est mis au ban

toute la colonie rassemblée dans un soi-disant
cercle de partage
lui balance ses quatre vérités
vous me connaissez même pas
ose-t-il leur répliquer
t'es pas très collaborant
lui répond marco
l'intervenant au ventre qui déborde et aux dix
doigts dorés
inaccessible soutien psychologique derrière le
store fermé de son bureau
qui n'en ressort qu'à la nuit tombée
en reniflant beaucoup
en écoutant vaguement
et en croyant tous les ragots

tu voudrais qu'on t'écoute mon joseph
poursuit marco

mais le mérites-tu vraiment
ta chambre est en désordre
ta tâche est mal faite
tu chiales sur la bouffe
tu regardes les femmes
tu poses des questions
tu respectes pas la chaîne de commandement
tu collabores pas à ton plan d'intervention
on en reparlera quand tu te seras conformé
au code de vie

quand joseph se permet de soulever un doute
sur le gars louche qui vient faire son tour
le premier du mois
avec une mallette en cuir
et un regard qu'il connaît trop
et sur les plus anciens qui font du va-et-vient dans
le bureau
pour en ressortir les yeux rougis
et le nez congestionné
on lui répond
recentre-toi sur toi mon joseph
depuis le début que t'es pas adéquat
rappelle-toi ce qu'on vous dit tous les jours au
morning meeting
la drogue ça peut mener rien qu'à trois affaires
    la prison

l'hôpital
la mort
vous êtes cent personnes dans la maison
un seul parmi vous va réussir à s'en sortir
c'est pas moi qui le dis c'est les statistiques
pis toi mon joseph tu penses vraiment que ça peut
être toi

j'accepte le défi
se dit joseph
sourire en coin

le lendemain

joseph laisse entendre à bertrand qu'il aurait
entendu gina raconter une sortie non autorisée
avec marco
malgré sa promesse de ne jamais jamais le répéter
bertrand le dit à richard
qui le dit à raymond
qui le dit à robert
qui le dit à lucie
qui le dit à manon
et ça revient aux oreilles de marco
le téléphone arabe raconte avec force détails sa

fausse liaison avec gina
la chicane éclate entre marco et gilbert
secrètement amoureux de gina
on apprend que robert également
ce qui rend lucie jalouse
qui se jette sur bertrand
homosexuel refoulé
qui part en rechute avec raymond
en laissant manon derrière

rien ne va plus dans la maison
    marco se terre dans son bureau
    les ateliers sont annulés
    un groupuscule d'usagers coiffés de bandanas
    prend le contrôle de la place en accaparant les
    couteaux de cuisine
    des chambres sont transformées en cellules
    la nourriture est rationnée
    des hommes sont mutilés
    des femmes sont agressées
    un paquet de gomme coûte deux cent
    cinquante piasses

les propriétaires de la maison débarquent
les cheveux léchés dans leur rutilante mercedes
constatent le climat de guerre civile et surtout
surtout

leur magot dérobé
celui qu'ils cachaient dans le coffre-fort
derrière le laminé d'un renoir
dans le bureau des intervenants
résultat d'années de magouilles
à frauder l'aide sociale
à tromper les évaluateurs du gouvernement
à rationner la bouffe
à pas payer les intervenants
à pas rénover la maison
congédient marco – retrouvé les culottes baissées
et la seringue dans le bras
et qui pensez-vous qu'ils aperçoivent à ce
moment-là
bien tranquille dans son coin
concentré sagement sur ses lectures et ses
travaux de réflexion

joseph bien sûr

t'as l'air d'un gars qui peut s'en sortir toi
mon joseph
lui disent-ils
ça te tenterait pas de devenir intervenant

joseph refuse poliment
déclare avoir terminé sa thérapie avec succès

puis repart tranquillement
avec son gros sac à dos
sur les routes du québec

sa monumentale rechute durera des mois

puis elle le ramènera à répit-toxico au bout d'un long calvaire
c'est là qu'il me raconte cette histoire abracadabrante

ben oui mon joseph
tu penses vraiment que je vais croire tout ça

gratte-moi donc su' l' bord de la poignée
voir

mais c'est lorsqu'il fouille dans son sac pour chercher une paire de bobettes

enfouie sous
des liasses
et
des liasses
de billets de banque
que je comprends
qu'ici
vraiment

tout est possible

king

vous viendrez pas me dire quoi faire
j'ai plus d'études que tout vous-autres
deux bacs une maîtrise
j'ai géré des employés
travaillé cinquante-soixante heures semaine
j'ai deux maisons un chalet une piscine creusée
j'ai voyagé partout où c' tu penserais même pas aller
des femmes j'en ai de même
j'étais le king de la wing à bordeaux
là je suis dans' rue mais c'est juste temporaire
une mauvaise passe un mauvais coton
je m'en allais au top
j'ai fait confiance à des rapaces
un salon de jeu sur la réserve
leurs machines sont truquées
m'ont fait les poches quand j'avais le dos tourné
c'est à cause de d' ça que je suis rendu là
un concours de circonstances
je peux pas t'en dire trop parce qu'après

je serais obligé de te tuer

(ben non c't une joke)

anyway tout ça pour te dire que
je suis pas comme eux-autres
les junkies en jaquette bleue
qui passent leur journée dans le fumoir
à regarder le plancher

pis toi le jeune
t'as quoi comme études
qu'est-ce que tu connais là-dedans
ça fait combien de temps que tu fais ça
ce métier-là
as-tu déjà consommé toi – y a rien de mieux qu'un
toxico pour aider un autre toxico
as-tu déjà eu besoin de t'en sortir
aider tu l'as ou tu l'as pas – ça s'apprend pas dans
les livres
parce que moi j'ai besoin de services spécialisés
je suis connu du meilleur psychiatre de la ville de
montréal
j'ai son numéro personnel
je vais l'appeler pour vous si vous voulez
y va vous le dire lui quoi faire
avec moi

heille moi c'est roy
pis en passant
parle-moi pas de retourner en thérapie
je les ai toutes faites
    la cognitivo-machin
    l'humiliation
    les treize étapes
    la déprogrammation
    le cri primal
    le bébé heureux
    les thérapies de salon

nommes-en
je connais les ateliers par cœur
je pourrais les donner
là-bas c'est ben trop facile de me défiler
je passe mes journées à magouiller
je finis par aider tout le monde en m'oubliant moi-même

mais bon
que'ques mois à l'ombre
c'est vrai que ça me ferait du bien

tu m'as l'air correct toi

mon gars
t'es pas comme les pitounes dans le bureau
qui passent leurs journées à texter leurs chums
à la place d'aider le monde qui en ont vraiment besoin
toi tu vas m'aider à m'en sortir
après tout vous êtes censés être les experts incontestés
de tout l'univers de la toxicomanie
aucune autre place peut vous accoter
toi tu vas me trouver le meilleur des centres de thérapie
parce que moi
fouiller dans les dépliants pis quêter pour une place
c'est pas trop mon fort

je peux lire dans tes yeux
tu m'as l'air correct toi
mon gars

d'ailleurs

t'aurais pas une place pour moi
en haut sur les étages
un petit séjour tous frais payés par l'assurance
maladie
je le sais que des fois vous avez des cartes
magiques dans vos poches
j'en ai vu du monde monter direct
un pis un autre

viens pas dire le contraire
pourquoi moi j'aurais pas le droit
combien qu'y te faut hein
deux cents
trois cents
mille

bon ok
vous êtes incorruptibles je le sais
c'est ça votre problème à vous-autres
anyway

j'y pense
j'ai un numéro dans ma mallette
tu vas l'appeler pour moi
c'est mon chauffeur
un gars ben fiable
toujours là quand j'en ai besoin
tu vas lui dire de venir me chercher
la maison est à sainte-graziella
je suis encore jamais allé
paraît que tu peux te noyer dans les arbres
pis respirer de l'air qui goûte encore le frais
là-bas

je le sais ce que tu penses de moi
mon chum
que je suis juste un fou
un criss de malade mental
t'as ben raison
quand je pars je suis plus arrêtable
mais dans le fond de moi-même je souffre

tu sauras que
y a pas de souffrance plus grande que la mienne

bon c'est correct j'ai compris
je vais l'appeler moi-même mon chauffeur
je ferai pas de vieux os icitte
la douche toute crottée
les machines à laver que ton linge en ressort plus
sale qu'avant
très peu pour moi
merci

ça m'a fait plaisir de te rencontrer le jeune
tu passeras le bonjour à ta collègue
la p'tite cute avec une tresse
pis un beau bonjour à tout le monde
dans les bureaux

sur les étages

pis à la maison aussi

roy vous embrasse

passion

jésus
quarante chandelles passées
cheveux en épines et cicatrices sur les bras
décrocheur devant l'éternel
tente ici aujourd'hui une énième fois
de se raccrocher à la vie
et voudrait bien lui aussi
tout comme
  joseph
  gina
  bertrand
  raymond
  robert
  lucie
  gilbert
  manon
  et roy
partir en thérapie
pour un long break à l'ombre
logé nourri écouté

parce qu'après tout
il l'aurait bien mérité

sauf que jésus est un cas

avec sa liste longue de
diagnostics
médicaments
état de santé précaire
vih
hépatite b
hépatite c
(les hépatites c'est comme le bulletin à la petite école
j'ai jamais réussi à avoir un a)
troubles de la personnalité
limite
évitante
obsessionnelle-compulsive
axe deux
cluster b
automutilation
épisodes psychotiques
hospitalisations
acting out
incarcérations
utilisation de drogues injectables
échec des programmes de substitution

sans domicile fixe depuis longtemps
alouette

en vaillant soldat
jésus fait de grands efforts ce jour-là
pour amadouer les agents d'admission de ces
centres de thérapie
et à chacun il conte toute sa vie depuis le début
avec une étonnante franchise
mais eux
malgré leur accréditation du gouvernement
ils admettent bien qui ils veulent dans leur
maison et ont tous leurs critères très précis
d'exclusion

jésus en vient à se décourager
c'était presque écrit
dans le ciel comme dans nos notes d'évolution

il rentre bredouille dans ses appartements semi-
privés de la chambre sept-huit
après un gros après-midi d'appels infructueux
verse de grosses larmes bien senties
les dernières pense-t-il
et caché derrière le rideau bleu tiré
unique paroi séparant les deux civières de la

chambre
il s'empare de sa ceinture – ceinture maudite
en fait deux boucles
en accroche une à la barre de sécurité de son lit
et accroche l'autre
serrée au dernier trou
autour de son cou

moi
pendant que je suis en train de changer les
poches à linge dans le corridor
j'entends un râle
je remarque la bave de jésus qui chute en grosses
gouttes sur le plancher
en dessous du rideau bleu
résultat de ses efforts pour essayer d'en finir

jésus est en train de se pendre
jésus est en train de se pendre
jésus est en train de se pendre
jésus est en train de

alerte rouge
bouton panique enfoncé

câlisse jésus
que je lui crie (ça a sorti comme ça)
et je lui saute dessus
essayant de créer de l'espace entre le cuir et la peau
ses longs cheveux dans le chemin
ses yeux révulsés

envoye criss
décroche-toi
décroche-toi
maudite cochonnerie

l'adrénaline décuple mes forces
je lui fais mal c'est certain
je vais le frapper s'il le faut
pour enlever ça de son cou

la ceinture cède

respire jésus
respire tabarnak
respire câlisse

l'ambulance est en route me souffle vanessa

jésus respire
jésus tousse

de retour du côté des vivants
lui qui aurait tant voulu
se mettre à marcher sur l'eau

quarante-cinq secondes plus tard
jésus allait rejoindre son frère
qui était parti en deux mille neuf
de la même manière

je reste longtemps après le fait
écrasé dans un coin du bureau
à fixer la ceinture confisquée de jésus
dans son sac en plastique transparent
qu'on ne lui redonnera jamais

j'ai empêché quelqu'un de se tuer
j'ai empêché quelqu'un de se tuer
j'ai empêché quelqu'un de

oublie pas de remplir un rapport d'événement
me dit alors la coordo
comme pour me ramener moi aussi
de ce côté-ci

à partir de là
plus jamais une ceinture n'est rentrée dans l'unité

jésus repassera par l'accueil deux jours plus tard
(la psychiatrie ne les garde jamais longtemps)
le teint cireux mais bien droit sur ses jambes
avec une boîte de vieux trophées dans les mains
me demandant simplement un jus d'orange
comme si de rien n'était

toaster

it's the story of this guy
who came by on an ordinary friday night
and found more out here than what he was
looking for

randomshooter25 – nickname on *call of duty*™
kept seeking meaning
in the three point five grams of pot he smokes
everyday
killing zillions of zombies in the virtual
a deep shadow in the corner of the eye
sure as he is that the sky is against him
and will be a member of the twenty-seven club
his playstation in front of which he sits
twenty hours out of twenty-four
his room at mom's almost burned down
in the latest crisis
where the fire could have ended it for good
with his joint left in the heart of his mattress

so he rings at our bunker door half-forced by his
girlfriend
hoping for just a second of silence
in his head
and absolutely no one to talk to

but randomshooter25 didn't expect to be filmed
all the time
by our cameras in every direction
nor our harassing habit of waking him up
to take his vital signs three times a day
or asked if he would ever look for an impossible
rehab
wanting to toss back at us one of his blue gowns
longing for *battlefield*™ and *worlds of warcraft*™
where things are violent and easy
and he finally ends up in the smoking room
where no tv will ever be installed – boredom is
part of the deal here
turns out he has nothing to smoke
and crumbles down into a little stack
in the dark corner
where no one could reach him dead or alive

et juste au moment où on se demande s'il va
jamais se remettre à parler
jean-guy lui

un récurrent
ne parlant anglais qu'avec ses mains (et encore)
s'installe tranquillement dans le fumoir
et lui lance tout de go
viens donc t'asseoir sur une chaise
comme tout le monde
p'tit gars
et notre jean-guy qui insiste
reste pas d'même en boule
malgré le mutisme du jeune
ça sert à rien de pleurer sur son sort
and after a short while
jean-guy lui tapote l'épaule et lui tend sa cigarette
de sa vieille main usée par la vie
directement de sa bouche aux dents jaunies
the filter filled with saliva
and randomshooter25 crouched between his legs
sack lying directly on the concrete
lungs craving
finally lifts up the head
vers cette image ravagée d'un homme
reminding him all of a sudden of his grandfather
in the days before video games
who kept reading him the same stories when he
was young
    la soupe au bouton
    and

le pingouin qui n'aimait pas le froid

and you would think our random shooter fled
at the sight of the butt
or else be transformed for good into stone
but instead he stares at the fellow
and finally crawls onto a chair
pas trop proche du vieux quand même
and accepts the unexpected gift
for a quite relieving puff

de nos chaises dans le bureau
on les observe à travers la caméra
we see randomshooter25 slowly opening
et même si on peut pas dire que jean-guy et lui se soient vraiment compris
the bird doesn't look that frightened
and at a certain point he even grins
they have a small chat in the smoking room
en se roulant des cigarettes avec les botches du cendrier
and here's how life goes parfois à répit-toxico

quinze minutes plus tard ils se sont séparés
and never saw each other again

des centaines de fois
je me suis demandé
à quoi ça pouvait bien servir
de faire tout ça

et toujours dans ces moments-là y a toi
toi
toi
ou toi
qui me rappelles quand même un peu pourquoi

dame

esmeralda n'est pas un homme
pas non plus tout à fait cette femme
qu'elle aurait tant voulu être dans son jeune temps
quand la transformation totale et complète
était encore possible
avant les ravages de la coke
et de la route
sur son visage

esmeralda débarque comme d'habitude
faisant tourner les têtes
tout droit sortie de son camion
mains de camionneur assorties
cutex rose bonbon
un tronc d'un mètre de long (certain)
la peau noire comme le poêle
ses cheveux qu'elle laissera pendre sur le bord de
son lit
une robe (qui ne lui va pas si bien)

une paire d'épaules à faire frémir
des poils envahissants qu'elle ne prend plus la
peine de raser

une étrange créature
faut bien l'avouer
qui fascine tout autant qu'elle effraie

esmeralda a droit à la chambre neuf-dix sans
partage
je fitte pas dins hommes je fitte pas dins femmes
dans les refuges les autres filles ont peur de moé
y a à peu près juste icitte que je peux venir
pourtant je suis full opérée tu veux-tu voir
elle m'avait dit la première fois en défaisant sa robe
sans gêne
sous l'œil interloqué de la caméra (et du mien)
non non c'est beau j'avais répondu
riant/criant
au grand monstre attachant/repoussant
peinturé d'une couche de béton que la survie
impose

il faut la voir avaler sa lasagne (congelée/
décongelée)
sans mastiquer vraiment
tout écartillée dans sa jaquette bleue

parlant plus fort et plus grave
que toute la bande des usagers hypnotisés
avril
jean-guy
tobby
pierrot
réunis autour d'elle comme autour du feu
pour l'entendre raconter dans une cohérence
échevelée
sa vie sur les routes des états-unis
  la fois qu'elle a chanté du marjo à atlantic cité
  la fois qu'elle s'est fait attraper les culottes
  baissées à L. A.
en mimant tout ce qu'elle raconte
avec ses grandes mains

esmeralda
enfant terrible qui défie toutes les interventions
et fait beaucoup sacrer ma collègue
obligée de la réprimander
pour le bordel qu'elle cause dans la cuisine
son langage vulgaire
ses postures indécentes

  je vais lui faire une belle note bleue c'est clair
  dit vanessa en rentrant dans le bureau
  fulminant

les notes bleues servent à consigner
les comportements problématiques
les attitudes inadéquates
l'arrogance
le manque de respect
l'agressivité
tout ce qui dépasse en somme

c'est la première chose qu'on remarque quand
on ouvre le dossier
et habituellement
ça regarde mal

mais esmeralda s'avoue toujours coupable
qu'est-cé tu veux
je suis faite de même
c'est pas de ma faute
je suis une chatte de ruelle
y ont cassé le moule après que je suis née
je vous dérangerai pas longtemps
je vais me trouver un spot que'que part
où c'est qu'on voudra ben de moé

aussitôt dit
elle repart comme elle était venue
au volant de son camion

avec deux tickets de stationnement en plus
mais surtout
avec sa robe (lavée)
ses quatre couches de fond de teint (remises à neuf)
en laissant tous ses poils derrière
bref
en ayant retrouvé une bonne partie de son identité
quand même
ses cheveux qui flottent libres dans le vent
vers de nouvelles aventures

et moi

c'est bizarre à expliquer
je me retrouve pris avec un drôle de sentiment
comme en deuil
parce que même si esmeralda est difficile à gérer
avec elle ici la routine s'arrête
et le temps de son séjour
quelque chose comme un monde fantastique
où des êtres étranges font des choses incroyables
où tous les mensonges sont possibles
se met à exister grâce à elle
et après l'heure de son départ
plus rien n'est tout à fait comme avant

aquarium

pas exactement sauvé des eaux
moïse
autochtone ordinaire
homme de l'asphalte et de la terre
d'une communauté enfouie au cœur de la forêt
quittée jadis en laissant femme et enfants derrière
divise son temps entre le parvis de l'église hongroise
le terre-plein de l'autoroute ville-marie
et l'abribus qu'il partage avec ses semblables
au coin des rues une telle et une telle

    pow wow quotidien des nations urbaines

en ce petit aquarium où personne n'attend jamais
le bus
on ne se doute même pas
des danses et des contes secrets
qu'ils se racontent
dans des langues oubliées

étouffées de force
tirées par en dedans
chants de gorge et rythmes à l'appui
dans la joie sombre d'être au moins ensemble
à défaut d'être bien
autour de leur cruelle amie de verre
qui distille son poison quotidien
sans laquelle ils ne peuvent plus vivre
et qui les a menés là
plus personne ne se rappelle exactement quand

cette grass dance improvisée
à laquelle se mêlent quelques esprits
et les dieux mi-bêtes mi-hommes
dont parlent encore cicatrices et tatous
convoqués par les étoiles absentes du centre-ville
de montréal
se termine souvent en queue de poisson
quand la bouteille finit en mille morceaux
les sens s'enflamment
les hérissons se hérissent
la chicane pogne comme on dit
et les nations se dissolvent pour la nuit
hébétées
jusqu'au lendemain

moïse lui

sonne souvent à notre porte
dans l'illusion de fuir l'aquarium des nations
et pour utiliser douche et toilette de l'accueil
bref pour faire ses petites affaires
sans jamais rester longtemps
parce que les places des blancs
lui
il raffole pas de d' ça

tu le sais-tu olivier comment c'est compliqué des fois
de faire ton numéro deux quand t'es dans' rue
non je le sais pas moïse je peux juste imaginer
mais en tout cas vas-y
chez nous t'es toujours le bienvenu
avec tes longs cheveux pris en épis
qui luisent sous le soleil des néons
ton visage de chêne centenaire
transplanté dans du béton
un chaman un ange – quand t'es pas trop soûl
doux comme le passage de l'épervier
dans le ciel de ta communauté

y retournes-tu faire ton tour là-bas
j'ai osé une fois lui demander
jamais en hiver es-tu fou
la route pour se rendre est pas déblayée
pis en été y fait ben qu'trop chaud

anyway y a tellement longtemps que chus pas allé
même les mouches noires se rappellent pus de moé

notre moïse maintenant délesté
part retrouver le cercle de prière
et ses rituels d'un autre temps
celui du rêve peut-être
ou de l'amour perdu qui sait
au coin des rues une telle et une telle
après tout ce sont ses frères
ces indiens au cœur gros
dans leur prison de verre
qui chantent à en faire frémir les passants
eux qui ne voient là-dedans rien d'autre
qu'une mascarade de barbares

et pourtant

c'est pas vrai que j'ai pas peur

quand t'es assis devant moi dans le bureau
ou que t'es debout dans le corridor
qu'on est pas chacun de son côté de la vitre pare-balle
que t'es pas d'humeur ce jour-là
que je dis un mot que t'aimes pas
sur un ton que t'aimes pas
ou que je te réveille en t'indiquant l'heure de ton départ
que tu te dresses d'un bond
que tu déclares à deux cheveux de moi
avec des yeux qui tueraient
que tu remettras plus jamais les pieds icitte
que je suis ben mieux de me checker parce que tu vas te souvenir de moi dehors
que tu détales en furie
et dieu sait ce que tu feras ensuite subir

aux passants dans la rue

c'est pas vrai que j'ai pas peur

quand t'es au bout du fil
que tu dis que tu veux aller te jeter
en dessous du métro
devant un camion
dans le plus noir du fleuve
que tes couteaux de cuisine te pointent du doigt
que tes lames de rasoir te soulageraient
que tu veux juste te noyer dans ton bain
avaler toutes tes pilules d'une traite
débarrasser le monde de ton fardeau
et qu'à part un tout petit peu de mon oreille
et toutes les facultés de mon cerveau
j'en ai pas de solution pour te soulager

c'est pas vrai que j'ai pas peur

quand il faut ajouter l'expulsion à la misère
parce qu'on a trouvé une seringue dans ton lit
que t'avais cachée dans tes bobettes
que tu harcèles une usagère
que tu nous manques de respect
que tu troubles la paix
dans notre sanctuaire qui devient

dans ces moments-là
assiégé de l'intérieur
quand c'est ma collègue qui est prise pour cible
qui se fait crier par la tête
qui passe proche de se faire frapper – c'est pas parce que c'est une femme que ça peut pas arriver
c'est déjà arrivé à l'une d'entre elles
pas mélanie ni vanessa
à une autre qui travaillera plus jamais ici
ça m'est jamais arrivé à moi
pas reçu un seul coup en dix ans
pourtant je suis pas ben fort ni imposant
pas tellement plus qu'une femme

c'est pas vrai que j'ai pas peur

quand on doit t'envoyer à l'hôpital
parce que des voix te disent de te faire du mal
que des fantômes t'empêchent de penser droit
que t'es convaincu qu'on conspire contre toi
derrière la porte fermée de notre bureau
parce que ça va pas
parce que ça va vraiment pas
que rien de ce que je peux dire
pourra te raisonner
qu'il faut trouver un stratagème

pour te faire sortir dans l'accueil
jusqu'à l'arrivée des policiers
parce que tu deviens dangereux
pour toi-même
et pour nous

> c'est pas vrai que j'ai pas peur dans ces moments-là

je chie même un peu dans mes culottes
je l'avoue
j'ai jamais été brave
avec ces grands gars-là qui jouent des bras
parce qu'ils ont perdu les mots
parce qu'ils savent plus comment dire
aide-moi
juste
aide-moi
pour qui je suis la première prise sur le monde réel et qui peuvent pas faire autrement que de s'en prendre à celui-là même qui est payé pour les aider

c'est pas vrai non plus qu'on s'habitue
que plus on côtoie la peur
moins on la sent

au contraire

la peur est un muscle qui se gonfle avec l’usage

gun

fuir sa mère et surtout le chat
qui passe son temps à pisser sur son matelas
sur lequel il dort par terre à côté du lit de sa mère
dans son un et demie qu'il partage
obligé
avec elle et surtout le chat
c'est ça que rambo est venu faire à répit-toxico
ce jour-là

ça va mal à' shop
chez rambo
sa mère
et surtout le chat
    pile de vaisselle sale qui déborde de l'évier
    toilette partagée/bouchée dans le corridor
    écœuré de rien manger d'autre que du kraft
    dinner
    pis des fois un paquet de doritos pour se payer
    la traite

qu'il se paye de moins en moins ces derniers
temps
l'once de pot éventrée sur le demi-comptoir
qu'il passe ses longues journées à fumer
avec sa mère entre deux engueulades
su' l' bord de se faire couper l'électricité
pus capabe d'entendre les voisins baiser
mais c'est tout ce qui nous reste quand on
n'a plus rien
hein

rambo vient donc demander nos services
en partie par désœuvrement
en partie par tordage de bras
escorté par la police
d'habitude les voisins en laissent passer
mais là la nuit d'avant
enough is enough
les enfants dorment
ciboère
après qu'il avait assailli
sa mère – et un peu aussi le chat
dans un élan provoqué
par la plus grande promiscuité

une fois rendu dans l'unité

rambo aimerait récupérer un livre dans son sac
pour se désennuyer
plutôt dans sa poche de hockey
remplie de toutes ses affaires ramassées précipitamment la veille

mais comme sa poche était trop grosse pour
entrer dans le casier à l'accueil
on l'avait entreposée dans un placard qui se
trouve sur l'unité
dans un immense sac en plastique transparent
identifié à son nom – protocole contre les
punaises oblige

je surveille rambo pendant qu'il fouille dans sa
poche pour éviter qu'il en profite pour s'emparer
de toute substance prohibée
ou de tout objet pouvant servir d'arme

dans la poche de rambo il y a

trois paires de jeans sales
cinq t-shirts tachés
une dizaine de bobettes-parachutes
deux cartoons de cigarettes (des indiennes)
cinq cassettes de xbox

et un vrai de vrai gun

y a un gun dans l'unité
y a un gun dans l'unité
y a un gun dans l'unité
y a un gun

  alertes de toutes les couleurs dans ma tête
  pensées qui filent à cent milles à l'heure

qu'est-ce que je fais
qu'est-ce que je fais
qu'est-ce que je fais

je suis pas derrière ma vitre pare-balle
je suis pas derrière ma vitre pare-balle
je suis dans un placard
avec un gars peut-être chargé
qui a un gun peut-être chargé
que les policiers la veille au soir n'ont manifestement
pas trouvé

câlisse

rambo

quoi
est-ce que c'est une arme à feu que je viens de voir dans ton sac
dans ton sac qui se trouve bel et bien à l'intérieur de notre unité
ah ça
c'est rien qu'un gun à air comprimé
rambo me répond
en manipulant l'arme de manière agitée
dret en dessous de mon nez
fais-toi-z-en pas
y est même pas chargé

rambo lit dans mes pensées
ah criss
s'il te plaît olivier
prends-moi-lé pas
j'en ai besoin pour me défendre dehors

là
malgré son exaspération
le manque de thc dans son sang
tous ses bons arguments
et même si ça fait pas son affaire pantoute
rambo demeure collaborant
pendant qu'on confisque l'arme délicatement

et qu'on la jette dans le coffre-fort de l'accueil
que la police viendra saisir plus tard dans la semaine
avec tout ce qui peut se trouver là-dedans
de petits sachets de pot de speed de coke
d'armes blanches
de flacons de pilules non prescrites
du poing américain de hannibal
et d'autres cadeaux laissés là par d'anciens visiteurs
en guise d'adieu à leur ancienne vie
en promettant à rambo que tout ceci demeurera strictement confidentiel

un moment donné les petites gouttes achèvent de pleuvoir dans mon dos

rambo pourra retourner ce soir-là
dans le un et demie du chat de sa mère
retrouver son matelas qui sent la pisse
son once de pot
ses voisins qui baisent
et sa vie qu'il n'a pas choisie
mais sans son arme à feu

oublie pas de remplir un rapport d'événement
me dit encore la coordo
sans doute pour m'aider à en revenir

la fois que

la fois que merlin m'a dit que pour payer sa coke il avait dû coucher avec plus de gars que de filles dans sa vie

et que j'ai laissé échapper

inquiète-toi pas
moi aussi

beau

il le trouvait
tellement
beau
il en avait fait
un peu trop
l'autre aussi
ils s'étaient reconnus
ils s'étaient retrouvés
dans cette chambre-là
la chambre à qui – on le sait pas trop
appelons-la la chambre du disco

mdma dans le nez
désir dans les yeux
les bobettes s'étirent
le lit devient une plage
le corps de l'un est une vallée
les larmes de l'autre cessent
les étoiles leur parlent
ils comprennent des grandes choses

les drames tombent en poussière fine
sur leurs petits poils magnifiques
la vie n'est plus qu'un rythme du sang

et ensemble

en une pluie technicolor

ils sont une armée
ils envahissent l'espace
ils recollent les continents
ils refondent l'espèce

presque

et l'un dit à l'autre
au bout d'un temps
d'un temps absurde et flottant
entre là et là
dans l'impulsion incompréhensible de ce qui est
trop fort et trop beau et qui garde en vie parce
que c'est interdit
enlève-le
l'autre lui dit
enlève-le
c'est plus doux

c'est meilleur
pis ça peut pas être mauvais
le moment qu'on vit là
unique seconde de vrai
dans la bouette quotidienne
enlève-le je t'en supplie
pour que la nuit
aveuglante
sombre
sublime
advienne

le lendemain

ou le jour suivant

ou le jour d'après

le sublime atterrit
et lui aussi
diana ross (comme ses amis l'appellent)
ici en face de moi
sous les néons cruels
qui allongent les cernes
et détruisent les serments
en frissons gigantesques

je pense alors
le sublime a pas duré
mais c'est là que je me trompe
peut-être

cette seconde-là
qui s'étire à l'infini
le plongeon en bas de la falaise
qui donne un sens à tout ce qui se trouve ici-bas
elle est pas morte
je la porte encore en moi
il me dit
après m'avoir tout raconté

et moi
éternel rabat-joie – c'est ma job
je dois le ramener
abruptement
à la conséquence de ses actes

je te préviens mon gars
la poésie meurt à partir d'ici

j'attrape le calendrier

je lui dis
compte
je lui dis
vas-y compte avec moi
le nombre de jours
pis le nombre d'heures
depuis que c'est arrivé

un jour
deux jours
trois jours

rappelle-toi

je souhaite fort qu'il le regrette
je souhaite qu'aujourd'hui devant moi
il regrette de l'avoir fait
qu'il veuille tant que l'autre le remette
qu'il l'ait jamais enlevé
dans l'espace intersidéral

souviens-toi
s'il te plaît
souviens-toi

cette nuit

non

la nuit d'hier
peut-être
la nuit d'avant
sûrement

soixante-douze heures
c'est tout le temps qu'on a
compte à rebours des héros tragiques
pour tuer le virus dans son sang
avant qu'il s'y accroche pour de bon
si jamais

ça fait trois jours

verdict final

le sang se met à affluer dans mes veines
je voudrais pas te mettre dans le rush
mais faudrait vraiment que tu y ailles
    à l'hôpital
rien qu'un comprimé
de la grosseur d'une roche
    suivre la dose scrupuleusement
pendant vingt-huit jours
    et endurer les effets secondaires

frissons
fièvre
fatigue
crampes
vomissements
pour que ton corps s'en débarrasse
parce qu'il le faut
y a pas d'autre choix logique – me semble c'est
évident
après oui après ça seulement
diana ross
on aura tout le temps du monde
pour les idées les plus sublimes

mais là

sans rien m'expliquer
peut-être pour que le moment vive encore en lui
longtemps après le fait
pour garder la seconde qui se loge dans son sang
en hommage aux galaxies qu'ils ont visitées
l'autre et lui
diana ross s'en remet aux étoiles
retourne dans son lit de la chambre cinq-six
dans les bras de son amant disparu
et décide de pas y aller

vagues

t'as toute fucké hier soir
roger
quand t'es parti de chez lui
ce gars-là ton maurice
plus jeune que toi
le seul qui t'ait jamais aimé
que tu pensais aimer autant
avec les années
à force des débâcles
après tout il l'aurait bien mérité
lui qui t'a si souvent sorti de la marde

mais t'as eu envie de prendre l'air
de couler dans les vagues
où tout est plus facile parce que plus figé

fait que t'as emprunté les rues
sans demander la permission
    de maisonneuve

champlain
sainte-catherine

quadrilatère maudit

t'es rentré dans cet endroit-là
aux couloirs moisis
que tu connais par cœur
pour tenter de l'oublier
lui

petite serviette autour du corps
petit salut aux habitués
bertrand avec qui t'as déjà essayé
diana ross avec son attitude de fendant
sultan que tu toucherais pas avec une perche
fantasio au regard fuyant
esmeralda
road runner
tobby

l'appli toujours ouverte dans ton téléphone
frissons de crystal meth dans les tunnels
ceux de la place et les autres aussi à l'intérieur de
toi

voyage voyage

pendant que ton maurice t'attendait sagement
sachant très bien ce que tu faisais – c'était loin
d'être la première fois
tu te consommais en lentes chevauchées
d'une vieille branche à l'autre
comme un petit oiseau
prêt à se donner la mort
pour une seule miette de beau

entre deux injections t'as repensé à ton maurice
comment faire autrement
l'aile cassée par l'envie de fuir qui t'avait pris
malgré toi
le fuir lui et toutes ses affaires dans lesquelles tu vis
les tiennes bof t'en as même plus
sauf peut-être dans les coutures du matelas
ou dans l'espace en dessous de ses ongles
à lui
les rares fois où il te prend encore
et les larmes te sont venues toutes seules

> tu devrais te compter chanceux roger
> qu'ils te disent sans cesse ta famille tes amis
> sans maurice tu serais rien
> tu serais dans la rue
> tu vois pas tout ce qu'il fait pour toi

il irait te décrocher la lune
te chercher au fond d'un puits

t'en trouveras jamais un autre comme lui

ça fait que
culpabilité dans le tapis
t'es sorti des vagues
aux trois quarts parano et le cœur en julienne
laissant derrière tes compagnons d'infortune
et t'es venu sonner à répit-toxico
sans souliers sans salive sans savoir
plus capable de t'asseoir
pour sortir de ta fuite
une autre fois

tu me racontes tout ça et moi
moi j'ai le sang qui se glace
je peux pas m'empêcher de penser

moi aussi

moi aussi j'ai fait pareil
je suis parti
je l'ai quitté pour de bon je pense

y a pas longtemps ça vient juste d'arriver
mon maurice à moi
    qui me donnait tout pourtant
    qui m'aurait décroché la lune lui aussi
à cause du quotidien insupportable
des portes d'armoires toujours ouvertes
de ce qu'on était en train de devenir lui pis moi
de l'envie d'aller voir ailleurs tout simplement
plus capable de me regarder dans le miroir
plus possible de faire comme avant
de faire comme si
sachant ça
sachant que c'était fini
depuis le jour où on a peinturé en bedaine dans
notre nouveau cinq et demie
depuis le break qu'on avait pris
depuis le jour où il était revenu
avec des fleurs
qu'il m'avait demandé en mariage
que j'avais répondu oui et que j'étais sérieux
même si
que j'aurais dû le laisser
depuis tous ces moments-là où je savais
je savais mais j'en avais pas le courage

c'est comme ça j'imagine
hein roger

faut parfois prendre la porte
quitte à faire tomber la fin du monde
sur celui qui nous a tant aimé
même si on l'aime encore tellement

merci olivier merci d'être là
je suis chanceux d'être tombé sur toi ce matin
je sais que toi tu peux me comprendre

on va s'arrêter là ok roger
tu vas pouvoir aller prendre ta douche
maintenant

tu y retourneras toi
chez ton maurice c'est évident
je connais rien d'autre
il va me reprendre les bras ouverts
comme à chaque fois
avec une couverte pis un chocolat
et l'envie de fuir te passera
jusqu'à la prochaine débâcle

bouilloire

ce matin-là
t'as pas

t'as pas eu d'arrière-pensée pour ta grande fille
t'as pas vu le combat prodigieux que t'avais livré
pour rester abstinent depuis ta sortie du pénitencier trois ans plus tôt
t'as pas pensé à ton parrain qui t'avait laissé une
chance de te reconstruire
t'as pas appliqué le bon vieux truc appris dans tes
ateliers de prévention de la rechute et tu t'es pas
dit j'irai consommer demain à la place
t'as même pas débranché le fil de la bouilloire
quand l'eau s'est mise à bouillir

  t'as pas attendu à demain ce matin-là

t'as pris ton véhicule de travail
tapé montréal dans le gps

en tremblant

cent soixante et un kilomètres
c'est pas loin

vas-y pas
que la petite voix t'a dit
vas-y pas

t'as pas écouté la petite voix

    montréal cent vingt-cinq

vas-y pas
à chaque nouvelle pancarte verte
insupportable litanie

    montréal cent cinq

ok revire de bord
c'est encore le temps

    montréal quatre-vingt-cinq

tu vas tout perdre

    montréal cinquante-cinq

c'est pas encore trop tard t' sais
pour retourner débrancher la bouilloire

charlemagne

henri-bourassa

sueur sur le volant

veux-tu ben me dire qu'est-cé tu fais là
qu'est-cé-tu-fais-là – oui oui c'est ton nom
les vieux tatous presque effacés
en dessous de ta chienne de travail
(on enlève peut-être le gars du pénitencier
tu dis depuis trente-six mois
mais on enlève jamais le pénitencier du gars)
c'est à saint-roland que t'aurais dû aller
ce matin-là
pour aller travailler
tu le sais ben trop
avec ton parrain
pis tes poissons

sortie marien

sortie de la vingt-cinq

tu peux encore tout arrêter

lacordaire

pie-ix

c'est pas grave ça arrive à tout le monde
ça t'aura fait une belle promenade
que te dit la petite voix presque éteinte

masson

sherbrooke

hochelaga

qu'est-cé-tu-fais-là

t'as pas cherché à laisser ton camion dans un
endroit sécuritaire
t'as pas tardé à trouver le gars qui connaît le gars
qui tient la place
t'as pas tardé à trouver la piaule de la rue davidson

fais pas ça
fais pas ça

t'as pas tardé à trouver ta veine

après trois ans sans y toucher
l'aiguille a le don de remettre les morceaux
mélangés
usés à' corde par
le temps l'envie l'ennui les vieux fantômes
chacun à sa place assignée
hein

on observe souvent que la quantité consommée lors d'une rechute après un long temps d'abstinence est plus grande que la dose régulière consommée jadis

comme si le corps et le cerveau voulaient rattraper le temps perdu

et en si bon chemin
qu'est-cé-tu-fais-là
tu t'arrêtes pas

le guichet manque de fonds
tu vends ton camion de travail pour des pinottes
au premier shylock

et le manège repart

extérieur nuit

nuits des ombres qui te suivent
le gros caïd qui ouvrait la porte de ta cellule
c'est toi qui faisais la fille pour lui
tu penses l'avoir vu dans la rue ce soir
t'en rêves encore malgré tes trente-six mois de liberté
la chaise que tu mets pour bloquer ta porte
dans ta maison en pleine forêt
les châssis barrés
à suer sang et eau

ça t'a jamais quitté

ça

tu vois pas

tu vois pas les passants s'écarter sur ton passage
tu vois pas tes yeux rentrés par en dedans
(une chance)
s'en est fallu de peu pour que cette voiture-là te
fauche
coin crémazie saint-laurent
tu savais même pas que t'étais revenu là
à l'autoroute que tu voudrais tant reprendre
maintenant
en sens inverse
dans le souvenir de ton camion
trois semaines plus tôt

on te retrouve hurlant aux étoiles qui se moquent
de voir que t'as saboté tout ce que t'avais accompli
pouce par pouce
depuis trois ans
en travaillant d'arrache-pied
sur la pourvoirie de saint-roland
sous l'œil impitoyable de ton parrain
qui te demandait toujours
qu'est-cé tu fais là
quand tu pognais le fixe

dans ton cellulaire ses messages s'empilent
pendant qu'à l'urgence de louis-h
on ferme l'interrupteur de ta rechute

devant moi dans le bureau

tu sais même pas comment ça se fait que t'es encore en vie
j'ai pris une tabarnak de débarque
(c'est le moins qu'on puisse dire)
plus capable de retenir tes larmes
plus aucune sensation au bout des doigts
je te dis que j'ai peut-être une carte pour toi
accrochée à mes clés à mon bouton panique
suffit que je fouille dans mes poches
après tout ton histoire me touche

mais toi tu t'en fous
toi tu désires plus rien qu'une chose

ouvrir ton téléphone

là ensemble
on pèse sur ton doigt qui répond plus à ton cerveau
pour enfoncer le petit bouton rouge de ton vieux flip phone
la seule chose que t'as pas vendue – un ange t'en avait empêché

dans tes contacts on sélectionne le numéro
et pour la première fois depuis trois semaines
tu dis des mots qui sont pas des cris

je suis à montréal

et t'es même pas surpris d'entendre de la bouche
de raymond ton parrain
qui t'attend encore à saint-roland
qui va se taper les cent soixante et un kilomètres
aller-retour pour venir te chercher le lendemain
avec ta grande fille
parce que les poissons s'ennuient
et que le breaker de ta cuisine a sauté depuis
longtemps
les mots les plus doux que t'as jamais entendus

qu'est-cé tu fais là

neige

gérard peut pas se passer de sa thérèse
sous peine d'en devenir fou
de plus savoir comment il s'appelle
de plus se rappeler son adresse
de même plus savoir comment lacer
ses propres souliers

gérard en menait pas large depuis que'que temps
à étirer les p'tits bouts de chèque
les deux cigarettes restantes dans le paquet
su' l' bord d'aller pawner la télé
juste pour finir le mois
encore en vie

écœuré ben raide
il se retrouve au dep du coin
à jeter sur le comptoir
en même temps que son désespoir
une caisse de six petites à six pour cent

en laissant en garantie la bague de mariage de sa grand-mère
pour faire passer le quotidien maudit
même s'il sait que c'est toujours pire après
pendant la visite hebdomadaire de thérèse chez sa sœur pierrette

sa thérèse qui en a déjà gros sur le cœur
fibromyalgie
bronchite chronique
machine à oxygène
respecte jamais sa dosette
même plus capable de se pencher
revient de chez pierrette en transport adapté
constate l'état de son gérard
et le met dehors à grands coups de pied
en lui jurant que cette fois-ci c'est bel et bien fini

c'est un jour de neige qui tombe en avalanche
mois de janvier où la misère est plus misérable encore
et gérard a nulle part où aller
c'est évident
la bourrasque l'empêche presque
d'ouvrir la porte d'un accueil
hélas plein à craquer

je suis vraiment désolé gérard
on est complets
on peut pas t'accueillir aujourd'hui
va falloir te référer ailleurs
je suis vraiment désolé gérard

le problème c'est que
partout ailleurs c'est toujours complet
le communautaire chroniquement sous-financé
déborde
le réseau de la santé et des services sociaux
s'est pas encore remis de sa dernière réforme
la clientèle vieillit
pis la neige en plus
c'est ça que ça fait la neige
ça encombre les rues
ça remplit les refuges
pis ça vide les options
pour les bonhommes au désespoir

gérard me laisse à peine finir ma phrase
il s'effondre sur le banc de l'accueil
    recroquevillé
    décroquevillé
    recroquevillé
s'en veut à mort le pauvre chat

convaincu que c'est fini avec sa thérèse
j'ai pas grand-chose dans' vie
il me dit
mais au moins avec thérèse j'ai quelqu'un

au moins avec thérèse
j'ai quelqu'un

qu'est-ce que je peux dire moi dans ce temps-là
quand les mots sont dérisoires
à un gérard qui pleure à chaudes larmes

fais-toi-z-en pas
ça va bien aller
on va la rappeler demain ta thérèse
tu vas voir
tu la connais
la poussière sera retombée
la gratte aura passé
elle va s'ennuyer de toi
elle va te supplier de revenir
ça va bien aller tu vas voir
parce qu'avoir quelqu'un
pour elle aussi
tu le sais
c'est pas mal plus fort qu'un petit accident

de parcours par un jour de tempête
dans une caisse de six

étends-toi un peu
je finis par dire
à l'accueil ça sent le vieux caoutchouc ok
mais au moins y fait moins frette

gérard dépose le poids qu'il traîne sur ses épaules
sur notre banc solidement vissé
vide sa botte remplie de neige fondue
et tombe dans un sommeil anxieux
dans lequel il redevient le p'tit gars qu'il est
encore dans sa tête
celui qui pleurait dans la fenêtre en voyant sa
mère partir sans lui
à qui on a pas appris à vivre par lui-même
qu'on arrivait jamais à rassurer
celui pour qui la vie c'était ben tough pis ben
effrayant

dans son rêve gérard se demande encore pourquoi

je me surprends à rester là

de mon côté de la vitre pare-balle
pendant un bout de temps
à le regarder dormir
en douleur

la fois que
la fois que ma collègue mélanie m'a demandé comment on écrivait ça le mot *diarrhée* – t'es tellement bon en français toi olivier – pendant que j'étais en train de manger

sphincter

angelo
mon collègue de l'entretien ménager
possède un de ces flegmes devant l'adversité

ce jour-là
il est obligé de suivre à la trace
rodrigue
un jeune homme en sevrage d'héroïne
et de ramasser sa route du malheur
à sa suite
sur le plancher

rodrigue
au fil d'ariane décomposé
malgré toute sa bonne volonté
est incapable de se rendre à temps

et fait donc
fait
ici

ici
là

ici
encore ici

et là
entre son lit de la chambre cinq-six
et la toilette des usagers

mélanie vanessa et moi
on se garroche aussitôt
on sort les fameuses housses jaunes de leur emballage
celles qui nous donnent l'air de gros poussins
réservées pour les cas de désastre biologique
et on se lance dans le corridor
pour essayer tant bien que mal de contenir le pauvre rodrigue
devenu rouge de honte

pendant qu'on gesticule inutilement
ne sachant trop quoi faire
angelo lui
avec ses études en sciences des religions
ne s'énerve pas pour si peu
prépare sa moppe tranquille
et entame son chemin de croix
en murmurant tout bas son mantra quotidien
pour se donner du courage

mieux vaut une job de marde
pas trop mal payée
avec des avantages sociaux
quatre semaines de vacances par année
un fonds de pension
et une garantie d'emploi dans la fonction
publique
qu'une job de marde
sans aucun avantage

je vais aller finir ça dehors
pour vous épargner le spectacle de ma déchéance
intérieure
nous dit soudain rodrigue
détachant ses deux jaquettes bleues
tachées
les déposant délicatement dans le sac en plastique

qu'angelo lui tend – elles iront finir leur vie dans
le gros conteneur vert derrière l'immeuble

rodrigue
manifestement tombé de haut après sa maîtrise
en littérature
retourne illico voir son vendeur
c'est même ce qu'on lui conseille

de toute façon on ne pouvait pas grand-chose
pour lui

les taux d'échec des sevrages à froid aux
opiacés sont immenses
les traitements de substitution doivent se
poursuivre sur plusieurs années
de souffrances intolérables à la moindre réduction de la dose
à naviguer tant bien que mal entre les rechutes
même après des années
les ex-injecteurs finissent par s'ennuyer de ce
moment-là
du moment où la seringue pénètre dans la veine
de la dispersion dans le corps
ce que la méthadone ne pourra jamais leur
offrir

ça leur reste longtemps après
parfois ça ne les quitte jamais

pendant que l'aiguille rentre
que la douleur cesse
et que les intestins remontent
chez rodrigue qui se récite en simultané
du baudelaire et du miron
tout en recommençant à respirer
angelo lui
finit de javelliser le plancher
et pendant sa pause du matin
il se paiera un bon brownie
pour se récompenser

heille gang
oubliez pas de remplir un
oui oui
qu'on répond en chœur
à la coordo

paranoïa 2

c'est le retour de puck
qui cette fois-ci en passant la porte
au lieu de demander sa liasse de condoms
comme il le fait toujours
demande de se déposer
de prendre un lit un break
pour un jour ou deux
mais sans laisser complètement derrière
ses idées de fin du monde

sous la douche

monsieur parle tout seul
s'adressant peut-être à dieu
sûrement au fantôme de la petite fille

celle dont on parle pour faire peur aux nouvelles intervenantes

quoi t'as jamais entendu l'histoire
du fantôme de la petite fille qui est morte ici
du temps de l'ancien hôpital
notre étage c'était la morgue
son fantôme nous hante depuis
plusieurs intervenantes de nuit l'ont déjà vu
apparaître
oui oui je te jure

puck lui peut sûrement la voir
la voir pour vrai
et ça fait bien rire tom sawyer et skippy
venus demander eux aussi un congé temporaire
et qui le trouvent sauté pas à peu près

quand on se compare
parfois
on se console

de l'autre côté

les choses vont pas mieux
puck marche menton baissé
noyé dans ses deux pentures bleues
en conversation tendue avec le plancher

lutte à finir avec sa lasagne (congelée/décongelée)
deux cups de margarine étendues sur chaque
moitié de toast
dialogue de sourds avec fantasio – assis à côté de
lui – en avalant sa bouchée
et trois sachets de sucre dans son styro de café
(décaf seulement)
qui finira renversé partout par terre

puisqu'il faut bien que je fasse mon travail
que j'essaie d'aider puck
ne serait-ce qu'à vouloir un tout petit peu s'aider
lui-même
doucement je tente une approche

quelque chose te tracasse mon puck
(je marche sur des œufs)
toutes des fous
toutes des crottés
il me répond
font semblant de rien mais moi je le sais
je les vois aller qui complotent
ça se vole ça se crosse à tour de bras
peux pus faire confiance à personne
veulent nous forcer à se mettre à genoux
ça parle même plus français nulle part
les soucoupes ont envahi les rues

soucoupes dans le village
soucoupes dins refuges
soucoupes au bureau du bs
soucoupes au
moi est-ce que je suis une soucoupe je l'interromps
surpris moi-même d'avoir dit ça
ben non toi t'es correct
olivier
tu l'as toujours été
avec moi

bon
mon lien avec lui tient encore le coup

là

je me retrouve écartelé entre deux désirs
celui que puck soit pris en charge
évalué
médicamenté
incarcéré si nécessaire
pour que ça cesse
son discours
ses idées
sa déconnexion profonde avec le réel
les choses qui existent juste pour lui

il est pas bien
je me dis
il peut pas être bien
comme ça
dans sa tête
à emboîter des morceaux qui vont pas
ensemble
édifice impossible qui signifie pourtant
quelque chose pour lui
que ça cesse
tout ça
enfin
et je pense
  tu devrais prendre des pilules
  tu irais mieux
  tes pensées seraient plus droites
mais qu'est-ce que j'en sais
qu'est-ce que j'en sais si c'est ça qu'il lui
faut

    de quel droit
    je peux juger
    à sa place
    de ce qui est bon
    pour lui

et de l'autre côté mon désir de demeurer le bon objet

le bon gars
de cultiver sa confiance
pour qu'un jour
patiemment
à force de le côtoyer
de l'apprivoiser
de l'ensorceler
presque
le sortilège fonctionne
qu'il me demande à moi
à moi et à aucun autre intervenant
de l'aider à défaire ces idées-là qui le tuent à petit feu

de l'accompagner en psychiatrie

à ce stade-ci je vous invite à googler le mot *désinstitutionnalisation*

la plupart du temps les cas comme lui ont fini par se retrouver
à la rue
en prison

ou ici

pendant que tout ça défile dans ma tête
puck interrompt son soliloque
il me fixe au fond des yeux
moi je fonds sur place
incapable de rester ferme et droit

il se méfie de quelque chose
je tente le tout pour le tout

tu m'as souvent dit que t'étais anxieux
que ça pesait lourd sur tes épaules
que ça te démangeait
que ça tournait en rond
cette vie-là
y a quelque chose qu'on peut faire pour ça
pour que ça soit plus facile
t'aurais juste à rencontrer quelqu'un
un spécialiste qui

je les prendrai pas vos esties de pinottes
je m'en vas d'icitte

ma stratégie est morte

veux-tu que j'essaie de te référer quelque part
mon gars

non non je veux rien savoir
donne-moi ma liasse
je m'en vas chez mes amis
on va fourrer jusqu'à ce que ça saute
parce que je te le promets
on sait pas toute
ce qu'y nous disent dans les journaux
c'est rien
même pas la pointe de l'iceberg
le sida – les compagnies pharmaceutiques
la crise économique – les chinois
toute va sauter
toute
le monde
la marde
pis toi avec

le visage fâché de puck
à deux pouces du mien

je m'écarte de son chemin

le code rouge retentit du bureau
mon cœur est un bouton panique enfoncé

puck est de retour sur le trottoir
pérorant seul ou aux passants terrorisés
toujours pas assez dangereux pour qu'on le
signale

la prochaine fois je me dis
la prochaine fois
peut-être

sourire

j'ai perdu mon sourire en deux mille treize
après le plus bel accident de moto
mais aussi le plus triste
sur l'autoroute six-quarante
me dit gina
exhibant son trouble de personnalité limite
en même temps que sa carte d'assurance maladie

gina se trouvait ce soir-là avec lui
son gino rencontré le jour même
au marché aux puces saint-eustache
on va faire un tour
gina lui avait demandé
avant même de dire bonjour
devant le kiosque du shouting aardvark
en apercevant son coat de cuir et toutes ses patchs

embarque ma noire
gino lui avait répondu illico

il l'avait emmenée sur sa monture
par le soir le plus magique au nord de montréal

assise à califourchon derrière lui
gina s'était pas fait prier pour lui rentrer ses belles
grandes griffes roses
dans l'espace entre la veste et les jeans
elle sentait ça vibrer entre ses cuisses
le moteur les chevaux-vapeur
la drogue la vraie – l'homme

gino lui
peut-être à cause de l'excitation
de la poitrine débordante de gina qui se pressait
dans son dos
va savoir
avait manqué la sortie arthur-sauvé
et l'animal a fini sa course dans le clos
en inversant la position des étoiles

gina
inconsciente
pendant des heures
à entendre/imaginer
des sillements
des machines

du monde qui s'active autour
qui lui joue dans le corps

personne n'avait pu dire au médecin
de ne surtout pas donner de morphine à gina
à cause de son passé d'héroïne
dans un conte de banlieue (pas pour enfants)
et pas plus folle ni plus forte qu'une autre
gina renoue avec l'effet
l'équation chimique se reforme
dans sa tête
dans son sang
la sève se remet à circuler
le bouton qui soulage
    celui qu'elle avait activé dans son adolescence
    qui en redemandait depuis
    inlassablement
        pèse-moi dessus
        pèse-moi dessus
        pèse-moi donc dessus
        rien qu'une petite fois
        rien qu'une autre fois
        voir
qu'elle faisait taire depuis
à coups de gros fuck you
cette faille-là qui ne s'efface plus jamais
une fois ouverte

avait fini par reprendre le dessus

gina est de nouveau accrochée
à tout ce qui s'accroche aux mêmes récepteurs
  empracet
  codéïne
  dilaudid
  oxycodone
  morphine
elle erre
elle erre depuis l'accident
dans un mélange de soulagement et de hantise
de la seconde où la dose viendrait à manquer

qu'est-ce que tu penses qu'on pourrait faire pour
toi aujourd'hui
je demande à gina
qui me voit juste à moitié à cause des frissons
j'avais fait un grand boutte
avant l'accident
j'avais terminé une thérapie avec succès
je m'étais sortie de la marde
j'étais retournée à l'école
(à l'école me crés-tu)
pris mon cours de préposée
shift de jour dans un chsld
bon c'est sûr

je me commandais un gars les vendredis soir
(pas faite en bois t' sais)
mais sinon j'étais ben tranquille
je lisais des romans
je lavais le four
je parlais au téléphone avec ma mère
je m'étais acheté un chaton
tout le monde en parle les dimanches soir
(même si ça me tape ben gros s' é nerfs)

pour une gina qui a toujours eu le feu en dedans
je peux te dire que j'avais fait un grand boutte
clean

ramène-moi mon sourire s'il te plaît olivier

sans faire ni une ni deux
je lui dis
embarque ma noire
je sors de ma poche une carte magique
parce que oui gina m'a convaincu
avec son grand boutte de fait
son accident de parcours
ses bonnes chances de retrouver une vie normale
et parce que c'est le temps de l'utiliser
ce cadeau que je peux enfin offrir

pour recevoir toute sa gratitude juste pour moi
ressentir ce petit frisson que j'aime tant dans ce
temps-là
quelque chose qui monte de mes mains
me parcourt les bras
coule dans mes veines
jusqu'à mon cerveau – un bon sentiment
qui m'apaise
qui me dit que je suis à ma place
finalement
que je suis à la hauteur de l'intervenant
calme
sûr
solide
rassurant
que j'ai toujours voulu être
à la place de l'imposteur qui portait mon nom
avec un diplôme universitaire en poche et qui
avait été engagé
au début
à qui on avait fait confiance pour gérer des vies
humaines
et donné le matricule d'employé

1053

fait que
gina obtient sa promotion
gravit les étages en ascenseur
pour son transfert en désintox
retrouve son sourire
s'engage à respecter le code de vie
mange son manger mou dîner/souper
participe aux ateliers
    prévention de la rechute
    habitudes de vie
    stress et anxiété
se reconnaît dans le vécu des usagers
fait de belles prises de conscience

tout ça

    mais

le bouton est toujours là
en dormance
plus fort que tout
le fourbe le tabarnak

    il s'active quand on s'y attend le moins

gina se retrouve au centre d'une chicane de lave-

vaisselle – une broutille
à peine
lancée en l'air
(t'as pas rincé ton assiette)
et ça tourne au drame

l'escalade
la vision en tunnel
un flash noir
ça lui crie très fort

frappe-la
frappe
rien qu'une tape
rien qu'une petite tape
voir

les belles grandes griffes roses de gina dans le
visage de lucie
qu'elle avait connue en thérapie jadis
sa rivale pour le beau robert

gina est expulsée de l'unité
avant la fin de son troisième jour de désintox
escortée par les policiers

qui la ramènent au sous-sol de sa vie
direction psychiatrie à notre-dame

et ma carte magique est irrémédiablement perdue

call

le téléphone
c'est le fun
mais c'est stressant aussi
des fois

tu t'es encore retrouvé
serge
dans un bien mauvais caca
quelque part dans un motel
novembre de sloche
à lachenaie ou à varennes
à en faire avec une fille
fille de promesses de huit secondes
rencontrée dans le stationnement

encore une autre histoire ben mal partie
comme t'en as la mauvaise habitude

qu'est-ce vous faisiez là
toi pis ta vieille civic quatre-vingt-douze
remplie de toute ta vie
répartie en tas de vieux mcdo sur tes tapis d'auto
et des photos de tes deux petits gars devenus
grands
ça tu le sais plus trop
tu cherchais sans doute une autre combine
une magouille une jobine
source d'argent rapide
pour un homme polyvalent
  patchs en tout genre
  rénovation
  démolition (surtout)
  intimidation
n'importe quoi que tu sais faire
et mal faire
pour essayer d'oublier cette vie-là
pour que ça fasse moins mal de te souvenir de ce que t'as laissé derrière enseveli sous des tonnes de demi-vérités et d'histoires rocambolesques dont le fil impossible à remonter te scie encore la gorge depuis le jour où t'es parti et maintenant tu peux plus dire les vrais mots de la vraie histoire tant les faux ont pris toute la place

  and the rest is another story

fait que
y a cette fille-là
petit cul tight dans des jeans à brillants
ben fine ben belle – au début
(c'est toujours pareil)
qui se met à s'ostiner pour un mot plus haut que l'autre
ça devient mêlé à force de puffer
elle sort son téléphone
tu te dis qu'elle doit appeler le vendeur
elle appelle plutôt son goon
 chef de la section locale
 homme de deux poings
 face en baboune
qui débarque en trombe dans la chambre de motel
avec ses chums haïtiens

tu roules en bas du lit
comme dans les films
tu te barricades dans la toilette
m'appelles en catastrophe
sur notre numéro d'urgence
disponible vingt-quatre heures sur vingt-quatre
 la nuit de pâques
 le jour du jubilé de la reine

même pendant la prochaine tempête de verglas

tu le sais qu'on est toujours au bout du fil

y a des gros noirs après moi
y veulent m'arracher les jambes
me mettre la yeule en sang
et moi qui prends l'appel de mon côté je me dis

ouin ouin c'est ça
comme la dernière fois hein serge
où tu pensais que la ville au complet voulait ta mort
ou la fois d'avant
où t'étais poursuivi par l'archange gabriel

je suis immunisé contre ton baratin
tu m'auras pas cette fois-là

mais tout de suite après je me dis

le petit garçon non plus on l'a pas cru
celui qui criait toujours au loup
la journée que le loup est venu pour vrai

y veulent me faire payer pour ce que j'ai fait
poursuit serge dans mon oreille

payer pour tous ceux que j'ai trompés
pour tous ceux à qui j'ai fait du mal
pour l'autre qui m'a cru quand j'ai dit
que je payerais le loyer (le mois prochain)
tous ceux à qui j'ai promis que je serais là
toutes celles que j'ai pas aimées
celle qui a pensé que je ferais un bon père
les deux petits que j'ai mis au monde
payer pour toute ça

reste en ligne mon serge
essaye de respirer
je te dis
ça va bien aller
ça va bien aller

non tu comprends pas olivier
cette fois-là c'est vrai y vont me passer

peut-être que t'as raison
peut-être que les mauvais anges sont bel et bien descendus
que cette fois-ci c'est la dernière
que je dois faire signe à mélanie pour qu'elle
compose le neuf-un-un nine-one-one pendant

que je te garde en ligne

ça varge dans' porte
j'ai pas une cenne à leur donner
y vont me faire la peau ces nèg'-là
j'ai rien fait de mal
je te jure olivier j'ai rien fait de mal
pis la fille j'y ai même pas encore touché

j'entends plus rien dans le combiné

serge
serge es-tu là

es-tu là serge

sur l'afficheur le compteur poursuit sa course
serge a toujours pas raccroché
mon pouls s'accélère
le téléphone devient glissant

peut-être oui que je l'ai perdu

la police est en route me confirme mélanie
mais ce sera peut-être trop tard
peut-être qu'ils vont retrouver mon serge
en mille morceaux dans la baignoire
mon serge que j'aime bien malgré tout
que j'ai suivi pendant les dix dernières années
dans toutes ses histoires

t'es-tu encore là olivier
me dit serge dans le combiné
je soupire de soulagement
j'entends plus rien de l'autre bord de la porte

ok serge
essaye donc de sortir de là
voir

serge ouvre la porte

ils sont partis
les nèg'
ils sont partis

la fille aussi
je lui demande

quelle fille

serge me répond

soumission

tu sais pas tu sais juste pas c'est quoi qui se passe dehors tu sais rien vous savez rien vous avez même pas idée je peux rien dire personne peut jamais rien dire c'est à cause de lui le gars qui est venu me porter ici avant que je meure parce que je suis su'l'bord yo su'l'bord en criss à force de faire des clients j'ai besoin d'un break je veux un criss de gros break mais lui non lui dit un break pas long un p'tit break un vingt-quatre-quarante-huit c'est ben en masse parce qu'après faut que j'y retourne fuck je peux même pas je peux même pas sortir avec mes amies criss j'ai même plus d'amies j'ai plus personne c'est lui qui contrôle mon cell mes parents mon père chrétien ma mère musulmane le croient sur parole y me font promettre que je bois pas – ben non m'man je bois pas faites-vous-en pas tant que je bois pas pour ma famille tout est correct c'est lui qui leur parle maintenant moi j'ai même plus le droit y les rassure y leur dit n'importe quoi pis eux y pensent que je suis heureuse dans sa grosse maison crottée fuck ça paraît pas c'est ben beau de l'extérieur mais là-dedans ça sent la mort pis eux pensent qu'y me dit encore tout le temps que je suis belle que je suis une beauté ravageuse comme y aimait dire au début que j'aimais tellement entendre pis qu'y comble tous mes désirs mais non y me le dit plus jamais maintenant yo la honte si ça se savait y pensent qu'on va se marier lui pis moi parce que c'est ça qu'y leur dit à mes vieux qu'on va se marier bientôt faites-vous-en pas on va se marier bientôt sauf que t' sais quoi on va jamais se marier fuck pis y les roule dans la farine man pis les apparences sont sauves pis y m'enferme pis y me contrôle comme un chien pire qu'un chien pendant qu'y gère d'autres filles pis qu'y couche avec je le sais pis les rend connes pis jalouses pis dépressives comme moi avec toute sa crap parce que comme moi elles lui en doivent beaucoup à force pis comme je continue à consommer ben ma dette je la rembourserai jamais fuck le pire là-dedans c'est que je trouve encore le moyen de l'aimer le chien sale l'ostie de l'aimer encore le beau menteur celui qu'y était quand je l'ai rencontré – ce gars-là je l'aime tellement que je l'haïs comment on peut vouloir comme une folle que'que chose qui nous fait autant de mal pis encore plus maintenant que je peux plus l'avoir que toutes les promesses sont mortes parce que je m'accroche comme une conne à l'espoir que ça revienne comme avant comme quand y était tellement fin que je l'aurais suivi en enfer que j'aurais menti à toute ma famille pis t' sais quoi j'ai fini par le faire par vendre mon corps mon âme pis mentir à tout le monde pis maintenant c'est trop tard c'est plus possible de rien dire parce que parler ça veut dire se faire renier pis un moment donné dans pas longtemps je vais devenir vieille pis grosse pis y voudra plus rien savoir de moi je le sais je serai plus jamais belle ce moment-là va finir par arriver pis là y voudra plus rien savoir de moi pis ce jour-là ça va être comme la mort pis vous-autres vous faites quoi hein le gouvernement la police les services sociaux vous attendez quoi que je crève ostie que les filles comme moi on crève – ben t' sais quoi criss c'est pas juste. moi qui devrais être là aujourd'hui ça devrait être eux-autres aussi les familles les quartiers les religions les générations les époques la société au grand complet qui devraient être assis là ici devant toi à côté de moi à demander leur criss de break

je trouve encore ça fascinant
même après dix ans
quand quelqu'un qui n'a plus rien dans la vie
prend le temps de bien répartir dans la cuvette
de la laveuse sa petite brassée de lambeaux
défaisant les rouleaux au bas des jambes de pantalon
virant à l'envers son t-shirt
défaisant la boule de ses bas
pour que la machine à laver malgré son cycle
indélicat et son savon industriel
ne les abîme pas trop

frog

there you are again
i haven't seen you in a while
skippy oh skippy
back in town after a run
not knowing what to expect
nor what to ask us

    want an extra gown
    so that you don't frown
    want an extra night
    not to get too high
    too soon

wanna sleep more
want the fucking peace
sure skippy
you'll get your seventy-two hours
added to the regular forty-eight
after all you're still only twenty-four

kids like you can get extra time here
just tell us what to do with you
where to send you where to refer you
even my mother wouldn't know
don't you have a brother or someone
i wonder
no brother no neighbour
this life is just going sour
this province is full of shit

tell me more
skippy oh skippy
tell me more

this province hates anglos
anglos got nothing to do here
if you don't speak french
you don't get any papers
you don't get the cheque
you're worse than an animal
dogs on the streets get more respect
no one cares if you live or die
me i'm heading back to the states
ontario
alberta
kahnawake
australia

right away

ok skippy the choice is yours

want a little help from your friend here
or
get on your way to the wild world

can't hold you back

and skippy jumps off straight to the entrance
his camouflage backpack worn on the front
like the baby he still wants to carry or still is
somehow
the one he left behind with the youngest of
mothers
somewhere on a sun-dawning road
right near the forest of his childhood
where he used to collect blueberries
made pies with his grandmother
and laughed for the last time
way before the fire started
before afghanistan
and the same nightmare over and over again

all of this of course without removing the sheets
on his bed before he leaves

oh and you can just chug back your extra twenty-four
real deep
froggy
are your last words
for me

normal

des fois
on reçoit du monde normal
du monde avec une maison
une blonde des enfants un travail
des rêves
du monde normal
comme vous et moi
qui en arrache pour arriver
que vous diriez jamais qu'on verrait atterrir ici
dans l'antre des éclopés

c'est arrivé à jimmy

un bon gars
un beau gars
bras vigoureux
maison en banlieue
travail dans une compagnie de transport
pas le char de l'année mais presque

deux petites filles cinq et trois ans

jimmy le gars responsable
qui fait l'épicerie
joue aux lego avec les petites
amène sa famille à cuba pour la relâche
avait même acheté un cinéma maison à noël
vous savez
c'te gars-là

jimmy l'avait pourtant juré
sur la tête de sa mère monique
à sa belle blonde amélie
que ses grosses années de poudre étaient derrière
lui

c'est fort en maudit c'te cochonnerie-là hein

jimmy l'a échappé un de ces soirs
ça serait bon d'en prendre rien qu'une
qu'il s'était dit en finissant son shift à minuit
la tête lui a tourné
et le petit démon est sorti de sa boîte
faut dire que
le couvercle était entrouvert depuis un bout
pour jimmy qui avait grand besoin
d'une ben bonne soupape

il s'est rendu à la taverne à côté du métro

après une pinte calée tranquille
une autre calée stressé
jimmy commence à fatiguer
cherche le gars qui en vend – y en a toujours un
pas dur à trouver
toujours le même
le gars sans âge
cheveux léchés par en arrière
dans des vêtements d'adolescent
une tresse bizarre au bout du pinch
accoté sur la tablette à côté des toilettes

le gars renifle dans ses doigts
voit notre jimmy qui s'élance
s'en vont dans la cabine
font des bouts de clé sur la cuvette
dans sa bouche un goût amer de monsieur net
mais dans sa tête
une obsession
ça finit dans la ruelle
avec une fille qui traînait là
(moi c'est alice)
qui lui dit en riant
regarde
mon haleine fait de la buée

incapable de résister
elle lui rappelle sa première blonde
ses lèvres goûtent l'adolescence
jimmy se met à planer au-dessus
la nuit ainsi s'égrène
avec une main qui repousse
et une autre qui insiste

devant moi dans le bureau

jimmy s'en veut comme c'est pas permis
serrant son styro de café (décaf seulement)
son portefeuille oublié la veille
à côté de la machine à poker
les larmes qui coulent en parlant de ses filles
de sa belle amélie qui l'attend
les yeux cernés de pas avoir dormi
dans leur salon de varennes ou de lachenaie
amélie qui sera tellement soulagée de le voir
revenir
son beau jimmy
le jour d'après
avec dans les bras un gros bouquet de remords
et la promesse de plus jamais recommencer

mais

en se couchant le soir
le petit corps de sa blonde serré contre lui
jimmy incapable de trouver le sommeil
quelque chose en lui murmure assez fort

j'en veux encore

une seconde
une toute petite seconde
qui fait une tache
contre toute logique
jimmy se prend à regretter tout ça
les bouts de clé au-dessus de la cuvette
la fille dans la ruelle
et le vol plané qu'ils se sont offert
l'espace d'un moment

à partir de là
comme vous et moi peut-être
jimmy se remet à grincer des dents la nuit

y est donc ben beau ton ordi
me dit tancrède
c'est juste un vieux mac je réponds
t'écris quoi
une pièce de théâtre je réponds (mensonge)
tu devrais écrire ma vie
là t'en aurais des affaires à raconter

merci de ta permission tancrède
je réponds

vie

ce matin-là

johnny veut une rencontre

comment tu vas ce matin johnny

johnny me parle
johnny se confie
johnny pleure
il en a besoin

sauf que pendant ce temps-là moi

je l'écoute pas

y a des matins comme ça
même si on est payé pour être là
où on est vraiment pas d'dans

il n'y a pas d'empathie au numéro que vous avez composé

pendant que johnny me parle moi
moi je pense à

moi

à mes petits problèmes
crise des vingt-cinq
crise des trente ans
que j'ai traversées
pendant ces années
où j'ai travaillé ici
qui sont rien
c'est certain
à comparer

    moi

à gratter les murs
à plus pouvoir reconnaître l'amour
à plus être capable de me traîner
le long de mon appartement
à juste vouloir me déclarer aux objets perdus

les jours de congé

encore aujourd'hui
tantôt
le soir
quand je rentre tout seul chez moi
m'ouvre une bière – johnny continue de parler
j'essaie de trouver un sens
y arrive pas
m'ennuie toute la soirée
séries en rafale
deux-trois amis toujours les mêmes
vais m'engourdir dans des salles sombres
au milieu de gens qui se câlissent de moi
essaie d'écrire de belles choses
dans l'acharnement – le bruit de fond de johnny
rarement me sentir à la hauteur
arriver à rien nommer
surtout pas la faille du système
surtout pas la marche folle du monde

heille tu sais quoi johnny
j'ai un nouveau projet depuis quelque temps

je vais te voler ta vie

pas juste la tienne

celle de dizaines d'autres aussi
rencontrés ici
parce que vous êtes de si beaux personnages
que vos vies rocambolesques
comparées à la mienne sont si parlantes
je vais m'en emparer
les déformer
les réécrire
les exposer
tout ça pour qui
pas pour vous-autres certain
pour me couvrir de gloire
gonfler mon propre narcissisme
et enfin réaliser mon rêve
mon rêve de p'tit gars rejeté dans la cour de
l'école les explorateurs de vimont laval
et après au collège mont-saint-louis à ahuntsic
  celui de publier un livre
un beau livre que les gens vont apporter avec eux
dans le métro
laisser traîner sur leur table de chevet
avec lequel je vais sûrement
  aller me pavaner au salon du livre
  faire des entrevues
  pouvoir dire des phrases comme
    ouin ben je viens de publier ça
  pour épater des gars rencontrés sur des

applications
que je revois jamais plus qu'une fois

un livre qui sera pas une de ces plaquettes-de-
cent-pages-qui-se-passent-dans-un-appart-
du-plateau-mettant-en-scène-les-angoisses-
insignifiantes-de-leur-auteur
non
un beau livre qui va parler du vrai monde au vrai
monde
grâce à vous
quitte à vous oublier en chemin
parce que j'ai si désespérément besoin d'attention
carencé comme je suis
toujours à chercher la fuite
incapable de garder personne dans ma vie
à leur voler tout ce que je peux
à m'en débarrasser quand ils m'amusent plus
exactement comme je vais faire avec toi
et tes collègues d'infortune

est-ce que tu penses que j'ai le droit de faire ça
johnny
est-ce que tu penses que c'est professionnel
est-ce que c'est éthique de faire ça
commercialiser vos existences
est-ce que tu penses que je

tu m'écoutes-tu olivier

bien sûr johnny
c'est mon travail

pinottes

jeannine
d'un âge respectable
comme beaucoup de gens
avait quelques difficultés avec ses nerfs depuis des années
ce qui ne l'empêchait de rien
remarquez
  ménage
  épicerie
  quatre petits-enfants
  bingo les vendredis après-midi

et elle qui n'avait jamais osé se plaindre de peur de déranger
se décide un bon matin
pensant améliorer un peu sa qualité de vie
à se confier à son médecin

celui-ci fait tomber sur sa tête un diagnostic

madame vous faites de l'anxiété
jeannine ne peut pas le nier
elle est même contente de pouvoir enfin mettre
un mot sur sa douleur

prescription d'effexor[MD] à faible dose
ça devrait faire l'affaire

jeannine commence son traitement

au début elle se sent plus mal encore
qu'avant de prendre cette pilule-là
on lui dit pourtant de persévérer
que son cerveau malade doit se refaire une
nouvelle chimie
saine

après un mois de ce régime

jeannine commence à en voir les bienfaits
se surprend même un matin
à se dire
c'est fou
on dirait que je suis enfin
moi-même

jeannine trouve ça quand même spécial

après tout un état de bien-être complet
bienveillant et duveteux
sans aucun mauvais rêve
elle n'avait jamais connu ça
mais comment est-ce qu'on fait
pour l'amour
pour vivre sans drame
elle se demande alors
avec obsession
toutes les cinq minutes

jeannine commence à se méfier
elle n'ose plus s'approcher du miroir

c'est qui ça coudonc
c'te femme-là qui me regarde
c'est pas moi certain
non ça peut pas être moi

sa fille la ramène de force chez le médecin

madame vous êtes agitée
on lui prescrit du seroquel^MD
et un rendez-vous en clinique externe
dans trois mois

sa nouvelle molécule se montre compatissante –
au début
elle aide jeannine à monter les marches
à faire ses courses
à reprendre une vie normale

mais rapidement jeannine commence à en
oublier des bouts
ne sait plus si elle se trouve au premier
ou au rez-de-chaussée
se perd dans l'autobus
met des chaussettes dépareillées

madame vous êtes confuse
j'ai la solution pour vous
lui dit un autre médecin dans une clinique sans
rendez-vous
le zyprexa^{MD} va vous soigner

elle qui avait toujours été solide comme un saule
commence à trembler comme une feuille
essayons le desyrel^{MD}
et en cas de somnolence
le concerta^{MD} va vous aider
à garder votre vigilance

jeannine se plaint de ne plus dormir la nuit
sa voisine lui suggère le millepertuis – ça avait fait des miracles pour elle

rien ne fonctionne

jeannine prisonnière de la spirale
se fait prescrire du rivotril[MD]

dont un des effets secondaires très fréquents est la dépendance

jeannine qui n'avait jamais pris une goutte d'alcool
ayant vu tous les hommes de sa famille
mourir bouteille en bouche
commence pourtant à boire
du matin au soir
  une bouteille de vin
  deux bouteilles de vin

va falloir vous rentrer en désintox
la prévient le prochain spécialiste
en lui prescrivant de l'ativan[MD]

comme la psychiatrie est une science inexacte

jeannine fait l'objet d'une série d'essais/erreurs
celexa[MD]
paxil[MD]
abilify[MD]
wellbutrin[MD]
alouette

essaye ça mère-grand tu vas voir
ça va t'aider
que lui prescrit un autre genre de médecin
en dessous de son capuchon

jeannine se mêle dans ses dosettes
ne respecte plus la posologie

quand l'émotion monte
la petite pilule descend
émotion qui monte
pilule qui descend

le geste est désormais bien ancré

on l'inscrit sur le programme alerte
où sont listés tous les abuseurs de pinottes de son espèce
et en désespoir de cause
abandonnée de tous

surtout des médecins
qui ne veulent plus rien lui prescrire
(là quand même madame ça va faire)
jeannine avale un plein pot de pilules toutes mélangées et termine sa course en gros taxi jaune à saint-luc où on lui lave l'estomac au charbon actif

deux semaines plus tard

livrée directement de l'hôpital
jeannine vient à ma rencontre

elle me fait tout de suite penser à ma grand-mère
avec ses beaux cheveux gris et blancs
ses taches de vieillesse dans le visage
ses ongles tout fripés – paraît que c'est à cause d'un champignon
le dos voûté par toute une vie à traîner sa poitrine
vivante malgré les erreurs de la médecine
et oui elle reçoit sa carte magique sur-le-champ
mélanie et vanessa sont même d'accord

sur le coup du soulagement
jeannine me prend dans ses bras
longtemps longtemps

m'embrasse sur les deux joues

je viens les yeux pleins d'eau évidemment

et elle monte se refaire une santé
en désintox

la fois que

la fois que ma collègue m'a débouché une oreille dans le bureau des intervenantes pendant un petit mou sur les heures de job

parce que parfois
quelquefois
quelques rares fois
l'unité se vide
les consommateurs consomment dehors
surtout quand il fait beau l'été
les civières reposent toutes seules
sans sueur sans odeur sans urine
sans mauvais rêves
sans tatous qui s'impriment dans les draps javellisés

pendant ces rares temps morts
on sait pas trop si c'est bon signe
parce qu'après tout si on est sûr de rien dans
la vie
ici on peut être sûr d'une chose

ils vont bien finir par revenir

peu après le prochain chèque
la prochaine rechute
la prochaine peine d'amour
peut-être plus amochés encore
pour nous tirer de nos vacances payées
dans la joie paradoxale de les revoir en vie
malgré que ce soit – ici
sous les gros néons de l'accueil

ogre

disons que vous vous promenez dans la rue

disons sur saint-denis
main dans la main avec une jolie personne
pendant un festival

disons le festival juste pour rire

  et que vous croisez georges-émile

disons que vous écoutez votre répulsion première
et que vous vous dites intérieurement

  checke l'ostie de clodo
  même pas midi pis y est déjà soûl
  la bedaine à l'air
  la face rouge
  tout croche
  y bave en plus

checke-lé qui gueule tout seul
qu'est-cé qu'y attendent pour l'arrêter
y est dangereux
y va blesser quelqu'un
c'est comme rien

disons que vous voyez la foule se fendre en deux
devant lui
pour le laisser passer
que georges-émile – dont vous ne connaissez pas
le nom
passe très proche de vous
assez proche pour que vous puissiez le sentir
disons que georges-émile sent fort
très fort même
un mélange de bière d'urine de sueur
de désespoir
qu'il vous frôle même
que vous vous dites encore

on est quand même pas venus direct de
varennes
(ou de lachenaie)
pour endurer ça

disons que comme tout le monde vous étiez
plutôt venus avec l'espoir de rire

de rire beaucoup
pour repousser votre peur de la mort
l'espace d'une soirée
au festival juste pour rire

disons que vous vous dites ensuite

pourquoi qu'y va pas se coucher
de l'autre côté des barrières
à la place de venir nous déranger de ce côté-ci
après tout
on a bien mérité de rire un peu
avec les semaines qu'on fait

disons que l'élan est trop fort
vous ne pouvez plus retenir la voix qui restait
prise jusqu'à maintenant dans votre gorge
et vous lui lancez

ferme donc ta yeule le clodo

disons qu'à ce moment-là
en entendant ça
le cœur de georges-émile ne fait qu'un tour
qu'il ne peut s'empêcher de serrer le poing
en l'honneur de l'homme qu'il a déjà été

le père
le grand-père
le gars qui a déjà écrit des chansons
qui avait pas son pareil pour parler aux femmes
le prof de philo
toujours tiré à quatre épingles
avant la chute inexorable
à cause
à cause

disons qu'à ce moment-là georges-émile vous fixe
droit dans les yeux
que ses yeux attrapent les vôtres

que vous ne vous sentez plus si courageux
maintenant

disons qu'heureusement pour vous
le service d'ordre de monsieur rozon veille au
grain
ça se met à huit sur georges-émile pour l'évacuer
disons que vous voyez georges-émile projeté au sol
expédié en service autoritaire aux mains de la
police
qui viendra bien sûr nous le porter à répit-toxico
après une nuit passée à saint-luc sous haute
surveillance

et une autre passée à pleurer derrière la porte de
la cellule du poste de quartier vingt et un
seul devant l'immensité – mais ce n'est pas là
l'objet de cette histoire

vous devriez respirer mieux
maintenant que vous pouvez continuer à rire
tranquille
en contribuant au tourisme montréalais

mais non

parce que même après le départ de georges-émile
quelque chose vous tracasse
parce qu'à travers ses yeux d'un bleu presque pas
humain
pendant une fraction de seconde

vous avez compris son message

derrière ses hurlements de fauve
ses gestes désordonnés
vous y avez lu quelque chose
quelque chose de beau

comme un plaidoyer

un plaidoyer en bonne et due forme
pour une société plus juste
pour plus de logements sociaux et moins de tours à condos
pour des ressources en santé mentale et en dépendance mieux financées
pour un revenu minimal décent à ceux qui n'ont presque rien et qui ne sont pas capables de travailler
pour des centres d'hébergement plus accessibles
pour un monde moins magané par les multi-nationales
pour un système d'éducation dont on serait fiers
pour une langue française qu'on verrait comme un trésor
pour un réinvestissement massif dans les arts et la culture
et pour un regard un peu plus humain porté sur les gens comme lui
par les gens comme vous et moi

disons qu'après ça
vous décidiez de faire quelque chose

ce serait quoi?

paranoïa 3

je suis un tourtereau
un gros réceptacle d'amour
je demande rien que ça

dans le fond
je suis pas différent de toi
tu le sais olivier
on a déjà parlé de d'ça
moi je veux juste qu'on m'aime

mes amis m'aiment
eux pis moi
on s'amuse ensemble
(je vais avoir besoin de ma liasse
ma liasse de condoms
avant de partir)
on se caresse
on se donne de l'affection
comme papa dans maman

je demande rien de plus
j'en ai pas l'air de même mais
je suis pas un gars compliqué
c'est simple la vie
pourquoi c'est pas simple autour
dans la rue dans les blocs
dans le cœur du monde
(je peux-tu juste avoir ma liasse s'il te plaît)
ça pourrait tellement
tellement être simple
mais ce l'est pas
ça le sera jamais
ni simple
ni beau
ni juste correct
non

ça sera pas long avant que ça finisse
que ça soit le grand feu d'artifice
tout ce qui dépasse
    chopé
le monde un peu spécial
    chopé
les belles idées de grandeur
ceux qui veulent que le reste du monde s'aime
    chopé
jusqu'aux moutons

jusqu'à ce que le monde soit rien qu'un gros troupeau
de moutons sans amour
c'est ça que le monde comme toi vous voulez qu'on
soit
le monde dans la rue
vous-autres dans le bureau
les autres dans le fumoir
les médecins les psychiatres

vous voulez tuer l'amour

vous l'avez déjà tué
l'amour est mort
c'est triste
jamais je vais accepter ça

moi je veux juste aimer pis le monde m'en empêche

bon
je peux-tu avoir ma liasse pour que

hein

de qu'est-cé

heille heille heille
wo
c'est quoi là
la police tabarnak
de quoi de quoi pourquoi

j'ai fait ça moi
je vous ai menacés
je vous ai jamais menacés
menaces de mort
ben voyons donc

vous êtes pas corrects
je vous faisais confiance
toi je te faisais confiance
tu m'as piégé
tu m'as fait attendre avant de me donner ma liasse
pour me faire embarquer
depuis combien d'années qu'on se connaît
hein
dix ans

olivier
dix ans à peu près
ben là c'est fini
plus jamais je vais te dire quoi que ce soit

ok oui monsieur l'agent excusez
je vais m'asseoir
ben non j'ai pas d'arme sur moi
je vais collaborer
tranquille
je vais rester tranquille
un petit mouton docile

va chier
man
va chier

je le sais quelle date qu'on est
j'ai les deux pieds sur terre
ben plus que tout le monde
j'ai jamais dit que j'allais les tuer
c'est eux-autres qui capotent
j'ai juste dit qu'y allaient mourir
mais quoi
même toi monsieur l'agent
tu vas mourir

toi aussi tu vas mourir un jour
c'est-tu vrai ou c'est pas vrai
c'est juste ça que j'ai dit
je sais encore faire la différence entre
    une menace
        pis
    un constat

ben oui c'est ça
embarquez-moi
ben oui passez-moi les menottes
c'est beau

mais vous pourrez jamais me faire taire
la muselière c'est pour les chiens

moi je suis un oiseau

allez-y emmenez-moi
c'est pas une nuit au poste
cinq minutes avec le psy
pis une p'tite pinotte
qui vont me faire taire

je vais m'envoler au-dessus
ben loin

quand tout ça autour
ça va péter
quand vous allez avoir tout détruit
toute chopé ce qui dépasse
ce jour-là vous pourrez pas me retenir de force
je vais m'envoler loin

pis c'est vous
c'est vous qui allez vous retrouver tout seuls
à ramasser ce qui reste

nuit

nuit blanche dans le quartier
commencée tu sais plus quand
tu te pensais chez ta mère
alice
tu reçois un appel
numéro privé
la voix dans le téléphone te dit
ta mère est pas ta mère
tu te retournes sur toi-même
t'as même pas de téléphone
vers où tu marches comme ça
tes jambes ont l'air de le savoir
ta mère qui est pas ta mère a disparu
station de métro inconnue
une porte de garage s'ouvre
un chien abandonné
tu le suis tu devrais pas
malformation au testicule
attroupement autour d'une fontaine

des punks déguisés en goths déguisés en skins
un qui te prend par les épaules
où est-ce que t'as laissé ta sacoche donc
mille neuf cent quatre-vingt-trois
alice viens voir mononcle
gâteau de fête partout sur ta petite face
mononcle robert ensuite mononcle andré
grand-maman te regarde brailler
la tête en dessous de son tablier
alice va donc me chercher une bière
les larmes montent toutes seules
un pigeon s'envole tu sursautes
on te klaxonne mais y a pas de char
tu reconnais pas tes mains
t'as pas remarqué le feu rouge
ni la pipe dans ta bouche
de la terre entre les dents
ampoule qui pend au bout de sa corde
petite camisole rouge
bretelles tombées sur le côté
matelas défoncé
à côté de toi ton tricycle pas de vitesses
a l'avale des rapides
les mononcles rient
les couleurs parlent
sacs à vidanges dans les vitres
tube de verre en mille morceaux

le sang ruisselle à flots
ton tricycle est brisé
tes talons hauts aussi
grand-maman est fâchée
citrouille éclatée sur l'asphalte
celle que t'as faite à l'école
le petit chat en céramique
regardez-la parader son cul
tu fais exprès alice
t'excites les messieurs
le long corridor s'étire
plus de trous que de tissu dans tes bas
ça pue l'urine ça pue l'essence
mononcle robert te reconduit
une femme au loin crie – c'est-tu ta mère celle-là
jambes qui tombent en dessous de tes hanches
boîte de vieux pogos qui traîne
pas une place pour une fille qui a ses règles
au fond de la cuvette tu vois quelque chose
une main sur ta bouche
radeau gonflable dans la piscine
le grand frère te tient la tête sous l'eau
le cabanon
son pénis dans ta bouche – comment c'est arrivé
tu faisais une tarte aux bleuets avec grand-maman
son pénis goûte la rouille
c'est notre secret à tous les deux

le toit fuit dans les tupperwares
tes pommettes sont roses
tu coules dans le tuyau de la toilette
coup de couteau dans la cuisse
le soleil en dessous du lampadaire
t'es cachée dans le champ de blé d'inde
faut pas qu'il te trouve – mais qui mais qui
nuit froide de novembre
    journée chaude de juillet
        taverne sur charlevoix
les pigeons font les coqs
        flashs des machines à poker
            veux-tu ben me dire où c' t'as laissé ta
            sacoche
une petite fille te regardé
    ses yeux sont comme les tiens
    tu veux la prévenir de
une voiture te renverse presque
            vendeur accoté sur la tablette à côté des
            toilettes
    laissez-la tranquille la petite
    c'est ta mère qui vient de parler
                petite culotte pas remontée
                    ramassée en tas
                    robe à pois déchirée
été
    hiver

sloche
canicule
un chien
un chat
une lettre d'amour
piste de danse déserte
des bonhommes te regardent
t' haïs l'école à cause de lui
main sur tes fesses
haleine de vieux mégot
tu vas quand même pas te plaindre
votre fille a un mauvais comportement
je le sais ce que tu veux
le vieux trop près sur toi
sur son siège un gars veste à carreaux
coureur des bois
se dévisse de sa machine
la chicane pogne
la chicane pogne
la chicane pogne
la chicane pogne
la chicane pogne
mononcle robert mononcle andré
se battent pour t'avoir sur leurs genoux
c'est de ta faute alice
le bouncer vous jette dehors
toi

tes mononcles
pis le coureur des bois
en pleine tempête
un soir de réveillon
d'après-noël des campeurs
talons brisés dans la sloche
pas habillée pour l'hiver
je vais aller te reconduire
as-tu quelque part où aller
sa veste à carreaux sur tes épaules
c'est notre p'tite alice
où est-ce que tu veux que je t'emmène
pourquoi il est fin comme ça lui
bouteille de vin éclatée dans la rue
piaule de la rue tanguay
je peux pas rien faire je t'avertis
je suis ben trop faite
neige
ta mère on aurait dû la faire avorter
neige
neige
je veux rien en échange fais-toi-z-en pas
ses mains sur tes hanches t'aident à marcher
plein ton casque de la puff
je suis en état de conduire
dit le coureur des bois
la machine à poker rend débile

mais elle soûle pas
neige
neige
tu vas aller te reposer t'en as besoin
tu vas aller réfléchir dans ta chambre
sloche
champ de blé d'inde
sloche
cabanon
pénis
cabanon
t'embarques dans son char
la main de mononcle entre tes cuisses
les mains du coureur des bois sur son volant
c'est quoi ton nom
alice
la p'tite câlisse
j'ai la carte d'une place dans ma poche
quelqu'un m'a donné ça
neige
une place avec du monde correct
va pas là-bas
neige
ils vont t'aider
neige
c'est là que je t'emmène
neige

alice reste avec nous
notre petite alice
reviens
on te mangera pas

  oui je t'en supplie
  emmène-moi là
  merci
  merci

flûtes

faut que j'arrange mes flûtes
elle me dit
avec insistance
pendant huit ans

avril
la grande
la belle
avril
connue de tous les chats de ruelle
de toutes les craques dans l'asphalte
avril
la rue scande son nom au porte-voix
et interroge les pigeons
quand elle a pas de ses nouvelles
le samedi matin

si avril existait pas

j'aurais été le premier à l'inventer
avec ses grandes vagues
des fois rouges des fois bleues
des fois de toutes les couleurs

avril m'a dit un jour

faut que j'arrange mes flûtes
ça m'est resté cette phrase-là
faut que j'arrange mes flûtes
celles qui jouent dans ma tête
et les autres aussi
qui traînent partout dans mon appartement
souillées
en tas à côté de l'x-acto
l'x-acto maudit
qu'on a tant et tant de fois essayé de lui faire jeter
pour de bon
l'x-acto avec lequel elle se joue dans la chair
les nuits du vendredi au samedi
pour jouer à en finir mais pas définitivement
quand ça lui pogne vraiment fort

ça

avril qui avait fait son cours d'ambulancière

qui aurait secouru tout le monde avant elle-même

je m'imagine son appartement
que j'ai souvent visité à travers ses mots
appartement supervisé pour personnalités fragiles
les quatre murs jaunis aux parois minces
trop minces pour contenir les frissons
qui la prennent quand elle s'y attend le moins
ni lui faire abandonner
une fois pour toute
l'idée de tout abandonner

as-tu un contact en cas d'urgence
je lui ai demandé toutes les fois
pour essayer de trouver quelqu'un
qui pourrait éponger le trop-plein
ou la sortir du fil du rasoir
juste à temps
à part vous-autres pis mon x-acto je vois pas
m'avaient répondu chaque fois
ses grandes vagues
et son éternel sourire triste

peu importe les efforts que je fais
c'est tout le temps là
l'obsession est sans fin

je gagne du temps
c'est toute
j'emprunte
je fais semblant
je tergiverse
mais ça reste
toujours là
quoi que je fasse
ça
dans mes veines maganées
même quand je mets rien dedans
même pendant longtemps
c'est tout le temps là pareil
l'envie d'en finir
à quoi bon veux-tu ben me dire
elle m'avait déjà demandé

fait que
pour ses vendredis soir

avril et moi on a pris des ententes
on a fait des pactes de vie
des plans de sauvetage
tu vas aller à tel rendez-vous
après tu vas retourner chez toi
tu vas me rappeler à telle heure

juste pour que je sache que t'es correcte
tu reviens à l'accueil si ça va pas
pis tu m'appelles ok
oublie pas
juste pour que tu la dépasses pas
la limite
un vendredi de plus

faut que j'arrange mes flûtes
elle m'a dit
avec insistance
pendant huit ans

et un jour

un beau matin d'avril
j'apprends
que c'est arrivé
dans la nuit de vendredi à samedi
avec son x-acto

je peux pas chasser l'idée tenace
avril

que j'ai été un des derniers de tes contacts d'urgence
à te voir en vie
devant moi en dessous des néons
avec tes vagues et ton sourire
submergée presque mais pas encore
et que j'aurais peut-être pu dire
quelque chose
d'autre
faire
quelque chose
de plus
pour te garder encore un peu
avec moi
de ce côté-ci

bobo

bob
c'est un gars que j'aime
vraiment
un peu plus que les autres – même si on n'est pas
censés avoir de préféré
un artiste dans l'âme
un vrai
pris dans la machine infernale
de la maudite fumée sale
sous l'emprise du démon irrépressible
qui le pousse à puffer le dernier vingt piasses
l'empêche de faire l'épicerie
de mettre du gaz dans le char
et d'avoir un minimum de dignité

de retour de la côte ouest
après un long séjour sans ramener la richesse
bob a peint une toile
un tableau

son premier
son seul
pendant des semaines
pour essayer de s'occuper les mains et s'empêcher
de consommer
mais surtout parce qu'il l'a en lui cette affaire-là
la pulsion de créer
en dessous de ce qui l'empêche toujours de tout

sur sa toile qu'on peut aujourd'hui admirer dans
ma salle de bain
(parce qu'il me l'a donnée)
se trouvent tout emberlificotés
  un cœur emporté par un serpent
  sous le serpent une femme en bikini
  son corps est sectionné en trois parties
  séparées par une route sombre
  un coq et un oiseau à tête de spirale
  une comète qui file à vive allure
  des visages qui ne sourient pas
  un requin dont la queue est un œil
  une marguerite qui pointe vers un autre cœur
  – un vrai – qui saigne
  le tout flottant dans l'espace intersidéral

et en bas à droite
directement sur une planète terre
bob a écrit un poème
qu'il m'a légué (avec sa toile)
avant que je le perde de vue

j'ai bobo immence au cœur
si incisif et infâme que j'en pleure
j'ai vu à la première lueur
un soleil si merveilleux
un monde de splendeur
qui brillait derrière mes yeux
j'ai bobo gigantesque au cœur
si vif et intence que j'en pleur
j'ai respiré, humé des fleurs
fut bercé par des vents chaleureux
j'ai dansé je vous jure de bonheur
ainssi qu'en un songe vaporeux
j'ai bobo monumental au cœur
si exsesif et cruel que j'en pleure
j'avais la fierté d'un vainqueur
j'ai marché d'un pas glorieux
percé le jour dans la candeur
croyez moi je le fut heureux
j'ai bobo fatal au cœur
si érosif et creux que j'en meure

remerciements

je tiens à remercier du fond du cœur
Monic Robillard pour sa lecture bienveillante des premiers balbutiements de ce livre et sa résidence au chalet du lac Solar
Le Centre Intermondes de La Rochelle et la Maison des auteurs du festival des Francophonies en Limousin de m'avoir accueilli en résidence pendant trois mois en deux mille seize pour écrire une nouvelle pièce de théâtre et de m'avoir permis à la place d'écrire ce livre qui ne devait être au départ que de simples exercices de réchauffement pour m'amener à écrire cette nouvelle pièce que je n'ai finalement pas beaucoup écrite pendant ces trois mois-là
Leanna Brodie et Jesse Stong pour la révision anglaise
Nathalie Boisvert et Frédéric Sasseville-Painchaud pour leur amour inconditionnel
toutes les personnes qui m'ont donné leurs

conseils en matière d'éthique
toutes mes vraies collègues avec qui j'ai passé tant
d'heures dans le bureau
et surtout
surtout
toutes ces personnes magnifiques à leur façon
que j'ai tenté d'aider
pendant ces dix années

la rochelle
limoges
montréal
2016-2017

table des matières

H
hamac

Au catalogue

Madeleine Allard
Quand le corps cède, nouvelles, 2016

Jean-Pierre April
Histoires centricoises, nouvelles, 2017
Méchantes menteries et vérités vraies, nouvelles, 2015

Nicolas Bertrand
Déjà, roman, 2010

Emmanuel Bouchard
Les faux mouvements, nouvelles, 2017
La même blessure, roman, 2015
Depuis les cendres, roman, 2011
Au passage, nouvelles, 2008

Françoise Bouffière
La Louée, roman, 2009

Véronique Côté et Steve Gagnon
Chaque automne j'ai envie de mourir, secrets, 2012

Geneviève Damas
Histoire d'un bonheur, roman, 2015
Les bonnes manières, nouvelles, 2014
Si tu passes la rivière, roman, 2013

Fanie Demeule
Déterrer les os, roman, 2016

Dominique de Rivaz
Rose Envy, roman, 2015

Lynda Dion
Monstera deliciosa, roman, 2015
La Maîtresse, roman, 2013
La Dévorante, roman, 2011

Sinclair Dumontais
La Deuxième Vie de Clara Onyx, roman, 2008

Valérie Forgues
Janvier tous les jours, roman, 2017

Nicholas Giguère
Queues, 2017

Julie Gravel-Richard
Enthéos, roman, 2008

Pierre Gobeil
Splendeurs et misères de l'homme occidental, roman, 2015
L'Hiver à Cape Cod, roman, 2011

Jean-Luc Lagarce
Juste la fin du monde, théâtre, 2016

Marie-Claude Lapalme
Le bleu des rives, nouvelles, 2016

Daniel Leblanc-Poirier
Nouveau système, roman, 2017

Claire Legendre
Making-of, roman, 2017

Hélène Lépine
Un léger désir de rouge, roman, 2012

Stéphane Libertad
La Baleine de parapluie, roman, 2012
La Trajectoire, roman, 2010

Alexis Martin
Camillien Houde, « le p'tit gars de Sainte-Marie », théâtre, 2017

Anne Peyrouse
Passagers de la tourmente, nouvelles, 2013

Maude Poissant
Saccades, nouvelles, 2014

Sina Queyras
Autobiographie de l'enfance, roman, 2016

Éric Simard
Martel en tête, roman, 2017
Le Mouvement naturel des choses, journal, 2013
Être, nouvelles, 2009
Cher Émile, roman épistolaire, 2006

Vincent Thibault
La Pureté, nouvelles, 2010

Maude Veilleux
Prague, roman, 2016
Le Vertige des insectes, roman, 2014

Entièrement consacré à la fiction,
Hamac propose des textes
profondément humains qui brillent
par leur qualité littéraire.

Si vous avez aimé celui-ci,
nous vous invitons à découvrir
les autres titres de notre catalogue.
Ils vous plairont sûrement.

Pour soumettre un manuscrit ou obtenir plus d'informations,
visitez le site www.hamac.qc.ca

Hamac est dirigé par Éric Simard.

Vente de droits

Mon agent et compagnie
Nickie Athanassi
173 et 183 Carré Curial
73000 Chambéry, France
www.monagentetcompagnie.com
help@monagentetcompagnie.com

COMPOSÉ EN ARNO PRO CORPS 13
SELON UNE MAQUETTE DE PIERRE-LOUIS CAUCHON
CET OUVRAGE A ÉTÉ ACHEVÉ D'IMPRIMER
POUR LE COMPTE DE GILLES HERMAN
ÉDITEUR À L'ENSEIGNE DU SEPTENTRION